科学と宗教の未来

茂木健一郎
MOGI KENICHIRO
長沼 毅
NAGANUMA TAKESHI

第三文明社

まえがき――生命という「宝塔」の面影

誰かに会って、一発でその人が好きになったり、信頼したりするのは脳の直観がはたらいているのだろう。長沼毅さんがまさにそうだった。

最初にお目にかかったのは、科学雑誌『日経サイエンス』の対談だった。地球の辺境に出かけていって、過酷《かこく》な環境の中にある生物を採集し、研究するその姿は、まさに生物界の「インディ・ジョーンズ」だと思った。

その御縁もあって、長沼さんは当時私がキャスターをしていたNHKの『プロフェッショナル　仕事の流儀』に出演された。一気にメディアで著名な科学者になられた。

私が長沼さんを信頼する気持ちになったのは、おそらくその生命観、人間観に惹《ひ》かれたからだろう。厳しい環境の中にたくましく在る生きものの姿は、そもそも生命はどのように誕生したのかという起源の問題につながっていく。そんな謎を追究する長沼さんが素敵だなと思った。時が流れて、このような形で、科学と宗教のこれからについて語り合う本ができたことは、ほんとうにうれしいことである。

私自身は子どもの頃、蝶《ちょう》を追いかけていて、生きもののたくましい姿に接していた。小学校五年生の時にアインシュタインの伝記を読んだことで将来は物理学者になろうと思った。物理学科の大学院で博士号をとった後、脳科学に転じた。当時、人工知能に関するロジャー・ペンローズ博士（二〇二〇年ノーベル物理学賞受賞）の著作を読んだことで、脳から意識がどう生まれるのかという問題に誘われたのである。

生命と意識、そして宗教は三位一体《さんみいったい》とでも言うべき関係にあると思う。生命とは何か。私たち人間の知性の本質は何か。意識はどう生まれるのか？　人生におけるよろこびや悲しみの本質はどこにあるのか？　これらの問いは、すべて、現代科学において重要な研究テーマになっている。

科学はこの世のありさまを解き明かす上で大切な営みである。アインシュタインの相対性理論は、時間や空間のふしぎな性質を明らかにし、宇宙の起源や歴史にまで光を当てた。アインシュタインの理論から予言された「ブラックホール」は、実際に存在することがわかった。チャールズ・ダーウィンは生命において「種」がどのように進化するのか、その道筋を示した。現代の脳科学は、一千億の神経細胞からなる脳がどのように私たちの認知や感情、そして意識を支えているのかを明らかにしている。

科学は、将来、生命や意識の謎をすべて解き明かすのだろうか？　多くの科学者は、さまざまなミステリーを解明しようと努力を続けている。私も、意識の中の「クオリア」（「赤」の「赤らしさ」のような、感覚に固有の質感）のメカニズムを解明することをライフワークとして研究を重ねている。

ひょっとしたら、将来、すべてとはいかなくても多くの謎が解明されることがあるかもしれない。一方で、この世が不思議だという感覚、アメリカの生物学者レイチェル・カーソンがかつて「センス・オブ・ワンダー」と呼んだ感情は、私たちの心の中にあるし、そこに宗教というものが価値を持つ道筋が開けるのだと思う。

以前、美術家の宮島達男《みやじまたつお》さんが「宝塔」という作品をつくられたことがあった。私の記憶では、お釈迦《しゃか》様にどなたかが生命とはどのようなものですかと尋ねて、このようなものだとお見せになられたのが、地球の半分ほどもある、さまざまな輝きや美しさに満ちた巨大な塔であった、というエピソードに取材したものだったと思う。

その話を宮島さんから聞いたとき、私の中で、鮮烈なイメージが浮かんだ。たった一つの細胞をとっても、その複雑さ、豊かさは巨大な宝塔のようなものなのかもしれないと思った。また、私たちの意識を生み出す脳のメカニズムも同様に神秘的で奥深いものなのだろうと思った。

長沼毅さんと科学と宗教の未来をめぐって対話している間、ずっと、私たちの生命という「宝塔」の成り立ちを理解したいと考えていたように思う。長沼さんからいろいろと教えていただき、私自身も刺激されてさまざまなことを申し上げて、とても充実した対話になった。長沼さん、そしてこの対話をアレンジしてくださった関係の方々に心から感謝する。

今の世界を見ると、ますます困難が増してきているように思われる。世界的なパンデミックはグローバル化の副産物である。過去のものと思われた大規模な戦争が人々の生活をおびやかし、地球環境の保護の問題は待ったなしになっている。

このような時代に、私たち人類が平和で繁栄したコミュニティを築き上げていくためには、エビデンスと論理的思考に基づく「科学」、共感と対話の精神に支えられた「宗教」

という両輪が必要なのだと思う。
対談中、長沼さんが、今までの人生で一番幸せだった瞬間の一つとして、探検中に暑くなって雪上で防寒服を脱いで裸で叫んだ時だ、というようなことを言われたのが印象に残っている。私にも、長沼さんとお話している間に胸が熱くなって「雪上の至福」を感じたり、「宝塔」の面影《おもかげ》が見えた瞬間がたくさんあった。この本が、読者の方にとって少しでも生活の潤《うるお》いと生きる上でのヒントになったら幸いです。

茂木健一郎

第2章 「生きる」を考える

第3章

宗教と科学について

第1章 科学とは何か

人生痛恨のミス

茂木　長沼さんは筑波《つくば》大学に入るときに、うっかり「学類《がくるい》」を間違えたことで生物学者になったそうですね。

長沼　そう。もう大ショックですよ。筑波大の「学類」は、一般の大学で言うところの「学部」です。

茂木　間違ったって、いったい何が起きたんですか？

長沼　もともと僕はモノとしての「生物」は苦手な一方で、生物の教科書に載《の》っていた「生命の起源」には引かれていたんです。筑波大学には、原田馨《かおる》という尊敬する先生がいらっしゃいました。この先生はその昔、アメリカがアポロ計画で持ち帰ってきた「月の石」に含まれるアミノ酸分析で、世界的な業績をあげられた方です。原田先生が書かれた『生命の起源』（東京大学出版会、一九七七年）という本を読んで感動して、筑波大学に行こうと。

茂木　それで？

長沼　『生命の起源』だから、当然、生物学類にいらっしゃると思って、迷わずそこに入学したわけです。実際、生物学類の教員一覧に原田教授という名前もありましたし。それで受験し、運よく合格しての入学早々、さっそく原田教授の部屋にご挨拶《あいさつ》に行きました。「先生のところで学ぶために入学しました」って。ところが、先生はなぜか延々と植物ホルモンの話をされる。僕が「月の石」の話をすると、原田先生はぽかんとして「僕の専門は植物の組織培養ですよ」と。その先生はのちに筑波の副学長も務められた原田宏《ひろし》先生という教授だった。

茂木　同じ苗字の先生が生物学類にいたから早とちりしちゃったんですね。

長沼　そう。原田馨先生は「化学」の先生だった。筑波では「化学」は自然学類という別の学類だったんです。

茂木　でも、間違える前まではいいよね。大学に入るときに〃この人に師事したい〃って決めていたんだから。それで、どうしたの？

長沼　〃ホンモノ〃の原田先生のところに行ったら、「しょうがないよね」「今いる場所で頑張りたまえ」って言われて。

茂木　学類を変更するのは、制度上難しかったんでしょうね。

長沼　もう一回受験し直すか、三年時編入の際に転学類するかという二通りの方法はあったんだけど、原田馨先生から「山なんてどこから登ったって頂上は同じなんだから、今いる場所から頑張って登って行けばいいんだ」と言われて、そのとおりにやってきたわけです。

茂木　おもしろいね。

長沼　人生痛恨のミスを結構早い段階でやってるんですよ。

茂木　偶有性《ぐうゆうせい》（確実さと不確実さが入り交じった状態）という観点から言うと、それは、いわゆるセレンディピティ（偶然の幸運に出あうこと）ってことだよね。つまり、予想外に生物学類に入ってしまったがゆえに経験できたいいこともあったのでは？

長沼　僕は、「生命ってなんだろう」っていうことに興味があったから、「生命の起源」にも興味を持ったんですね。考えてみれば、生物とはまさに生命体なんだから、「生きものってなんなの？」ということを知ることができてよかったですね。

茂木　脳の研究をしている立場からすると、「肝心なところで迂闊《うかつ》な人」って興味深い研究対象なんです（笑）。勘違いから生まれる真《まこと》みたいなものってあるじゃないですか。勘違いって、ある種の創造性と関係がある気がしますね。

長沼　それはあると思います。

生命の起源は偶然？

茂木　今ちょっと思い出したんだけど、僕は東大の理学部物理学科に入って、ここでは五十音順で二人一組になって、そこにアドバイザーが付いてくれるんですよ。僕と一緒の組になったのがサイエンス・ライターの竹内薫《かおる》で、彼は科学史・科学哲学というところから学士入学してきたんですね。アドバイザーになってくれたのは、若林健之《たけゆき》さんという生物物理の先生でした。もともと僕は生物物理なんてやる気もなかったんだけど、だんだんおもしろいと思うようになって、卒業研究は生物物理に行ったんです。あれも偶然と言えば偶然ですよね。竹内と仲良くなったのも、まさに偶然だったし。偶然起こったことを、ただ受け入れたんです。

長沼　生きものっていうのは、そうやって生きているんですよ。

茂木　生命の起源って、偶然起こったことを受け入れたということですよね。

長沼　僕は偶然だと思っていますね。そこに、いかに必然性も持ち込んでくるかっていうのが理論だから、みんな必然性を持ち込んで考えたがるわけです。でも、偶然の可能性は十分にあるし、僕はそう考えています。

茂木　最近興味あることの一つが「ダークエネルギー（暗黒エネルギー）」や「ダークマター（暗黒物質）」なんです。宇宙のほとんどの物質はダークエネルギーやダークマターとして存在していて、しかもそれが重力相互作用しかないらしい。宇宙って思ったよりよくできていて奥深いんだけど、それが偶然なのか必然なのかっていうと、必然だと考える人がいるんだよね。長沼さんはどう思う？

長沼　まあ、どっちでもいいんですよ。

茂木　偶然でも必然でも、どっちでもいいのね。長沼さんが学類を間違えたことも？

長沼　そう（笑）。今になって振り返ったら、どっちでもいいですね。

茂木　そうか、おもしろいな。この対談もどんどんあらぬ方向にいくかもしれませんね。僕は以前にある番組で長沼さんのことを「科学界のインディ・ジョーンズ」と命名したことがありました。

長沼　ええ。気に入ってときどき自称しています。

茂木　長沼さんが南極や北極、砂漠、深海といった〝過酷《かこく》な環境〟で生きる生きものを調べるために、一般の人が行かないような環境で〝冒険〟してきたからインディ・ジョーンズです。ご自分では「辺境生物学」って言っておられるけど。

長沼　人間が生きにくい場所という意味と、アクセスしにくい（行きにくい）場所という二つの意味を掛けて「辺境」と言っています。深海や高山、火山、地底、砂漠、洞窟などがそうです。別の言葉で言うと極限環境って呼ぶんですけど、最近はそれぞれの研究者が育ってきました。若い研究者がおもしろい発見をどんどんやっているんですよ。僕がそういう場所に出かけていた時代に比べると、今ははるかにおもしろいです。

茂木　たとえば？

長沼　一つは深海ですよね。深海魚の謎が次々に解明されているという生物学的なおも

真核生物に最も近い種類の古細菌の培養に成功したと記者会見する海洋研究開発機構の井町寛之主任研究員（2020年1月）
（時事）

しろさもあるんだけど、やはり深海の泥の中から出てきた「古細菌《こさいきん》」というやつがおもしろい。「アーキア」って言うんだけども、これがそもそも人間を含むすべての動植物の祖先だった可能性があるんです。それをついに捕まえた。古細菌にもいろいろな種類があるんだけど、その中の一つの種類から、今のすべての動植物が生まれたんです。そのすべての祖先に非常に近い〝生きた化石〟みたいなものが捕まったんですよ。

茂木　おもしろいね。

長沼　これまでは海底の泥の中からＤＮＡだけが見つかってたんです。これ、どうも私たちの祖先っぽいよね、と。これまでゲノムの塩基配列《えんきはいれつ》しか知られていなくて、誰も培養に成功していなかったんだけど、「海洋研究開発機構（JAMSTEC）」（神奈川県横須賀市）と「産業技術総合研究所（AIST）」（茨城県つくば市）の合同研究チームが十年以上かけて、「アスガルド類アーキア」の単離・培養に成功したんです。

二十一世紀の生物学は細胞生物学の時代

茂木　じつは僕も「生命の起源」には興味があって、大学院生になって最初の「生物物理若手の会」の「夏の学校」（生物物理学を専攻していたり、興味を持っている全国の大学生・大学院生・若手研究者などを対象とした研究会）に、柳川弘志《やながわひろし》さんという「生命の起源」をテーマにしていた先生を呼んだくらいなんです。僕はもともと物理屋なので、還元主義的な傾向があるんですけどね。二十世紀の生物学って、どちらかというと分子生物学が優勢でした。その一つの頂点が一九五三年にクリックとワトソンがDNAの二重らせん構造を発見して、二〇〇〇年代に人間のゲノムが全部わかってしまったことなんです。そして、今世紀に入って京都大学の山中伸弥《しんや》さんのグループが、四つの遺伝子の導入によってiPS細胞ができることを発見しました。でも、あれって物理屋的な感覚から言うと、何が起こっているかはよくわからないんですよね。もちろん山中さんのグループが見つけたことはすごいことなんですけど。

逆に言えば、「細胞ってすごいよね」ということです。だから二十一世紀の生物学って大きく見ると細胞生物学の時代なんです。おそらく細胞自体を一つのブラックボックスとして扱って、それをどうコントロールしていくかっていう研究が、これからたとえば再生医療といった分野でも出てくるだろうと思うんです。われわれのようにもともと物理をやっていた人間からすると、「いやぁ、細胞には参った」って感じなんですよね。

僕は「意識」がライフワークで、意識の問題をずっと考えてきました。『脳とクオリア』(日経サイエンス社。現在は講談社学術文庫)を書いたのが一九九七年だから、もう四半世紀も考えてきてるんだけど、いまだに解けないんです。ただ、最近つくづく思うのは「やっぱり細胞だよね」ということ。脳も結局は神経細胞がつながってできています。それを今の理論家はコンピュータに置き換えて「0」「1」のシグナルでコネクショニスト・モデルとか言っているんですけど、すべて細胞がやっていることです。そうなると、意識を生み出しているのはおそらく細胞なんです。

そこで、さっき長沼さんが言った古細菌に遡《さかのぼ》ることになる。専門家としては言いにくいかもしれないけど、「古細菌はどうできたか」ということについて、何か言えることはありますか?

長沼　古細菌がどうできたかは、わからないですね。

茂木　わからないよね。聖書には「初めに言《ことば》があった」とありますが、生物では「初めに細胞があった」になっちゃうわけですよね。だけど、細胞ってそもそも何なんでしょう?

生物学は〝枚挙の学問〟

長沼　ちょっとだけ話が逸《そ》れますけど、われわれは今あえて「細胞性生命体」って言葉を使ってるんです。

茂木　ほう。おもしろいね。

長沼　ウイルスをどう扱うか考えて、ウイルスのことを「非細胞性生命体」と呼んでるの。

茂木　なるほど。生命体として認めてるということ？

長沼　なんか振る舞いが生きものっぽいじゃないですか。だから、ひとまず生命ということにして「非細胞性生命体」。ただ、われわれが知っている細胞性生命体とは明らかに違うから、非細胞性という言葉を作ったわけです。そういった意味では、まさに「初めに細胞があった」なんですよ。

茂木　今言われた非細胞性生命体も含めて、どういう条件を満たすと、それは「生命体」と呼んでいいわけ？

長沼　古典的には、まずは代謝《たいしゃ》ですね。モノを取り込んで、たとえば消化・分解することで自分の栄養を作ったり、エネルギーを得たりする。で、老廃物を出す。これが代謝ですよね。そういった物質変換をするというのが一点。その代謝をしながら自分のコピーを作って増殖するというのが、二点目。そして、代謝して増える単位が細胞膜で覆《おお》われているというのが三点目。この三点セットが古典的な生物学が言う条件です。

しかし、ウイルスは代謝しません。宿主《しゅくしゅ》の細胞にたかっているからです。ただ増殖はします。あと、細胞膜には覆われていないけれども、宿主の細胞を利用している。増殖しているという点では、なんか生きものっぽいですよね。最近ではウイルスにもいろいろあることがわかってきて、さっき茂木さんが還元主義者だって言ったけど、生物学はまだ還元できてない。

茂木　できないよね。

長沼　できない。というのは、生物学は相変わらず〝枚挙《まいきょ》の学問〟で、言ってみれば「こんなのもあるよ」「あんなのもあるよ」ってことだけで終わっちゃう学問なんですよ。

茂木　いや、たしかに終わっちゃう学問なんだけど、その枚挙が人間の想像を超えてくるところがすごくないですか？

長沼　そこなんですよ。それで、巨大ウイルス（メガウイルス）っていうのが発見されちゃって。

茂木　なんか聞いたことあるな。ゲノムの大きさでしたっけ？

長沼　いくつかあるんですよ。一つは普通の細胞より大きいウイルスです。そんなでかいウイルスを誰も想像しなかった。

茂木　普通はウイルスって細胞よりはるかに小さいもんね。

長沼　サイズがでかいだけじゃなくて、持っているゲノムの総体も大きいんです。あと、細胞膜みたいな膜を持っているウイルスもいたりして。

茂木　ということは、さっきの細胞性生命体と非細胞性生命体の区別って……。

長沼　ちょっと曖昧《あいまい》になってきています。ただ、その細胞膜っぽいものを持っているウイルスといえども、自分で代謝はしない。そこはまだ宿主の細胞にたかっているんです。

茂木　僕は脳科学をやっているわけですけど、近年は横に人工知能があるわけですよ。人工知能の分野には、ある種の傲慢《ごうまん》さが潜んでいると僕は思っていて、たとえば人間の脳のデータをコンピュータに全部移したら、それは意識として同等だとか、死んだ人もデータを移してしまえば永遠の生命を得られるみたいなことを平気で言う人もいますが、僕から見れば完全にナンセンスです。われわれが忘れちゃいけないのは、脳って生きてるわけで細胞の塊《かたまり》じゃないですか。なのに情報を取ってコンピュータに移したら同等でしょうっていうのは、あまりにも乱暴な議論です。そんなことを言う前に、まず生命って何なのかってちゃんと見ないといけない。まちがいなく意識は生命現象ですから。

そうなると、長沼さんが言ったみたいに途方に暮れる多様性があって、だから〝枚挙の学問〟っていうのは卑下《ひげ》しておっしゃっている部分があると思うけど、むしろそれは生物学者の誇りだと思うんです。物理学者が簡単に「生命とはこうだろう」って言うほど、生命は単純じゃないってことだもんね。

長沼　枚挙っていうのは方法論ですが、ただ、かなり見た目がダサいんですよ。一個ずつ生物を調べていって「あれもいる」「こんなのもいる」だなんて、なんだか十九世紀みたいな博物学ですよ。僕も若い頃は「こんなかび臭い感じの学問なんてやってられない」って思っていた時期がありました。ところが、枚挙があまりにも過ぎちゃって、今まで積み上げてきた知的な世界を根底から覆《くつがえ》しかねないような想像を絶する発見が最近バンバン出てきたんです。さっき言ったメガウイルスなどはその典型で、もはやウイルスと生物と無生物の境界が曖昧になりつつある。

生命の起源は地球外にあり？

茂木　生命の起源に話を戻しましょう。真空状態の宇宙空間でも生き延びるバクテリアがいるみたいですが、そういうエビデンスが出てくると、最初の生命が地球外から来た可能性も否定できなくなりますよね？

長沼　バクテリアは、宇宙空間に晒《さら》しても死にませんね。

茂木　太陽系ができたのが四十五億年前だったかな。それで宇宙の年齢が百三十八億歳でしょう。そうすると太陽系みたいなものが何代かあり得るわけですよね。重い元素って超新星爆発でできたりしますが、細胞という単位で考えてみると、ひょっとしたら前の代の宇宙から持ち越されているものがタネになった可能性が、論理的にはあり得る。そうすると、宇宙の始まりと考えられているインフレーション（急膨張）からビックバンにかけてのときよりも前の細胞は残っているのか、残っていないのか。宇宙論ではそれはわからないんですよね。

長沼　宇宙史的な科学を考えると、ビックバンのときって水素とヘリウムしかなかったんですよ。

茂木　教科書的にはね。サイクルがあって、圧倒的多数はそうだけど、タネになるものが少数存在したら、それで説明がつくじゃない。

長沼　でも、あまりにも少数だと、ちょっと困りますね。これは僕の想像ですよ。ちゃんとした論文も出てないんですけど、ビッグバンから五十億年くらいしたら炭素が溜《た》まってくる。われわれの体の十分の一は炭素なので、それがないと困るわけだけども、その炭素が一定程度、溜まってくるまでのあいだは、ちょっと生命体は出てこないだろうと思う。

茂木　でも、もしも前のサイクルの宇宙から残っている細胞があって、条件が整うまでは眠っていて、条件を満たせば覚醒《かくせい》する、そういう可能性だって論理的にはあり得ますよね。

長沼　元素が溜まってくるまでに五十億年はかかると思うので、最初の五十億年は材料作りじゃないかな。

茂木　それが一般的な理解っていうのはわかります。でも、細胞がもし宇宙のサイクルを超えるくらいロバスト（堅牢）であったら、わからないよね。論理的な可能性としてはあると思いますよ。

長沼　五十億年を一世代とすると、宇宙は百三十八億歳なので、今、われわれは第三世代になるんですよ。

茂木　その可能性もある。それは今のビックバンのあとの宇宙の中でいろいろマテリアルの条件が整ってきて、そこでゼロから細胞が生まれたというフィクションでしょ？でも、そうじゃない可能性もあるのかなって思うんです。細胞って意外としたたかかもしれないという困った話もある。そこはどう考えてますか。

長沼　細胞って水がなくて乾いていれば、結構もつんですよ。真空であろうが、宇宙放射線に晒されようが。

茂木　そうなると、地球上で生命が誕生したという話も、それは宇宙からのコンタミネーション（混入）だったかもしれないってことは言えるよね？

長沼　いや、僕はむしろそっち派なんですよ。だけど、そう言うと「生命の起源を宇宙に先送りしているに過ぎない」って言われちゃうんだよ。

茂木　でも、それが事実だったらしょうがないもんね。

長沼　うん。地球上での生命の発生条件を考えて「ああでもない、こうでもない」と言ったところで、「じつは宇宙からだ」ってことになったときには「今までの議論は何だったんですか」ってなっちゃうよね。

茂木　一日も早く地球外生命体を誰かが見つけて確認すれば、意外と新しい論争の幕が開《あ》くんだろうけどね。

長沼　だから今、たとえば火星の土壌を採ってきて、そこから抽出《ちゅうしゅつ》したDNAをPCR法で増やそうとしたりしてるわけ。だけど、PCRって一分子からでも何百万倍に増えますから、地球上に持ち帰ってからDNAが混入した可能性を否定できないんですよ。

つまり、地球生物を発見しているに過ぎないかもしれない。火星の表面から土を採ってきて、そこに千分の一ミリの微生物でいいから生命体がいますかというときに、さっき言った代謝と増殖と細胞膜の話をどう確認するのか。まだ確認はできないんです。

茂木　コンタミという可能性もあるの？

長沼　今のところそれはあり得ると思っています。

科学的な態度とは

長沼　生命の起源について、地球上で何かのきっかけで偶然に生命が発生したとする説と、地球外からやって来たという説を考えると、正直言って僕は〝フィフティ・フィフティ〟のイーブンだと思いますよ。

科学者の中では、「不確定要素が少ないほうがよい」という変な条件設定があります。宇宙から運ばれてくるためには真空や放射線からどうやって守られたのかとか、余計なことを考えないといけないから、そういうものは削《そ》ぎ落としてしまう。哲学的には「オッカムの剃刀《かみそり》（必要以上に多くの仮定を用いるべきではないという指針）」といわれるもので、削ぎ落として一番ミニマムな問題設定をするのが科学だというわけです。でも、それは人間が考えた「オッカムの剃刀」で、問題を最小化しているだけじゃないか。〝事実は小説より奇なり〟という言葉のように、本当のところは、意外とややこしいことかもしれないと僕は思う。だから、〝フィフティ・フィフティ〟なんです。

究極の話をすれば、「科学の理論を疑ってかかる態度こそが科学的」なんです。もうちょっと平たく言うと、「理詰めでものを考えることが科学的」ということでしょう。

茂木　複雑系の科学っていうのを、みんな忘れちゃってるけど、いわゆる「バタフライ効果」っていうのがありますよね。ブラジルで一羽の蝶《ちょう》が羽ばたくか否かで、テキサスで竜巻が発生するかどうかが決まるという。非線形力学の持っている微小な初期状態の差が大きな差になるというものです。人間の人生で例えると、ベッドから起きるときに右足から歩きはじめたか左足からはじめたかで、ひょっとしたらその人の人生が大きく変わってしまうかもしれないという理論的な可能性ですよね。一時期は「決定論的カオス」とかそういうもので示されていて、すごく流行《はや》ったじゃないですか。あれを世間の人はすっかり忘れちゃったのかな。

二〇二一年のノーベル物理学賞が、プリンストン大学の眞鍋淑郎《まなべしゅくろう》上席研究員とマックス・プランク研究所のクラウス・ハッセルマン氏、ローマ・ラ・サピエンツァ大学のジョルジョ・パリージ氏に贈られましたよね。受賞理由は「地球温暖化の予測のための気候変動モデルの開発」です。パリージさんっていうイタリアの方は、スピングラスなどの複雑系の科学をやっている人なんですね。今、長沼さんが言ったことは本当にそのとおりだと僕は思っていて、やっぱり「何がわからないか」をはっきりと言うことが、科学者としては誠実な態度だと思うんですよ。

長沼　僕も茂木さんとまったく同じ意見で、「何がどうわからないかがわかっていればいい」のです。ここまではちゃんとわかっていて、ここから先はぼんやりわかっているんだけど、その先は全然わからない、というふうに。

NASAによる「DART」ミッション

茂木　その手の話でおもしろいのは、PHA（Potentially Hazardous Asteroid＝潜在的に危険な小惑星）ですね。普通の小惑星って火星と木星のあいだにあるんだけど、地球の近くにあって（地球近傍《きんぼう》小惑星）、なおかつ地球に衝突する可能性があって、衝突した際には大きな影響を与え得ると考えられる小惑星がPHAです。あの「はやぶさ」が着陸したイトカワも、地球近傍小惑星なんです。地球近傍小惑星が全部で何個あるのかは把握《はあく》されていませんが、少なくとも数千個はあります。それが地球の公転軌道とクロスするような軌道で動いているから、中にはぶつかる可能性があるものがある。ただ、ぶつかるかどうかを確認するほどの、位置や速度などのデータはそろっていないんですよ。

そこで、NASAが二〇二一年十一月に「DART（Double Asteroid Redirection Test）」というミッションを開始しました。人工衛星を小惑星にぶつけて、その軌道を変えられるかどうかという実験です。メキシコのユカタン半島に小惑星が衝突して恐竜を絶滅させたのは六千万年前でしたっけ？

長沼　六千五百五十万年前ですね。

茂木　さすがだね、専門家は（笑）。将来、再び同じようなイベントが起こる可能性があるわけだけども、そのＰＨＡの予測すら完全にできていないのが現実です。地球に衝突する可能性のある小惑星なので、人類の重大関心事項のはずなんだけど、それさえもわからない。でも長沼さんが言ったように、〝ＰＨＡがこれだけの数あることはわかる。そのうち比較的危険なものもわかる。だけど、そこから先はわかりません〟ということがわかるのが、科学だよね。

長沼　ＰＨＡは、たとえば直径が一キロのものは危ないんですよ。恐竜を絶滅させたといわれている隕石《いんせき》は、直径十キロ以上と考えられていますが、同じくらいのものはだいたい一億年に一回降ってくる可能性がある。前回から六千五百五十万年経《た》っているわけだから、そろそろ来るんじゃないのかという話があります。ただ、それよりも小さい直径一キロクラスだと、もうちょっと頻繁《ひんぱん》に降ってくる。直径百メートル大だったら、もっと来る。百メートルでも、もし東京に落ちたら、東京は壊滅的な被害を受けるので、

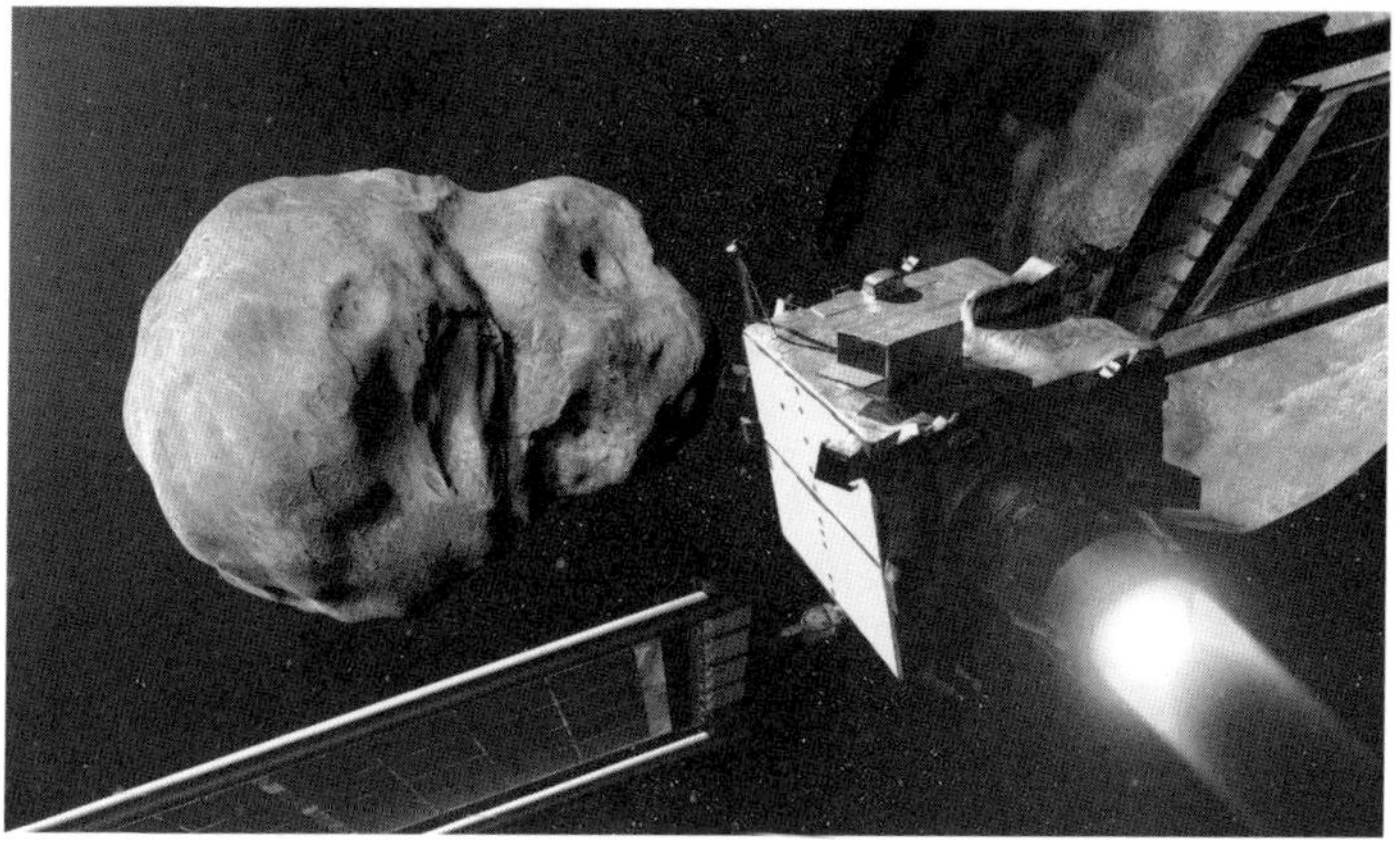

小惑星に向かう探査機DARTのイメージ
（NASAなど提供・共同）

そのサイズのものは今、全部追っています。そういった国際的な観測ネットワークがあるんです。ところが、観測ネットワークが追跡していて軌道はすべてわかっているはずなのに、どうしてもそれはズレてしまうんですよ。

茂木　誤差があるのね。

長沼　そう。たとえば惑星直列的な何かのイベントがあって、重力がちょっと変化すると軌道が変わる。そうなると、さっきのバタフライ効果の話みたく、その先の軌道が変わって、やがて地球衝突コースに入る可能性がある。だから観測は絶対に継続させないといけません。一回ここで位置とスピードがわかれば未来永劫《えいごう》わかる、というものではない。ずっと見るしかないんです。

茂木　たとえば人間の雑談だって、自分が十秒先に何をしゃべるかなんて予想できない。科学者は未来を予測できるわけではないし、むしろ〝どう予測できないか〟を知るのが科学です。

長沼　科学者は、社会的に期待を持たせてますからね。

茂木　それで問題になるのが地震予知ですよ。もちろん地震研究自体は大事なんだけど、日本の地震研究は「地震は予測できる」という前提で研究費をもらうでしょう。でも実際には地震の予測は非常に困難です。別の理由で研究費がつくようにしないと、うそを言っていることになってしまいます。以前は二〜三日前に警戒宣言を出すとかって話もあったけど、どうもそれも難しいんじゃないかという話です。

長沼　岩石にストレスがかかって、それがどの瞬間に割れるかなんて、室内実験でもわかりませんもんね。

生物が持つ反脆弱性

茂木　そう考えると、生物は予想できないことを乗り越えてきているんだから、すごいことだよね。

長沼　生物は本来的に反脆弱性《ぜいじゃくせい》を持っているということですね。つまり、プランニングして生きているわけではない。生物はまだ見ぬ先のためにいろいろ備えているなんて言う人がいますけど、そうじゃないですね。生きものそのものは何も考えていないですから。行き当たりばったりで、その場しのぎです。そうやって、しのげたものが残ってきたに過ぎないんです。でも、違った困難がやって来たときに再びしのげるかというと、その保証はまったくない。あるいは、二つの困難が襲って来たときに同時に乗り越えられるかといえば、それもわからないです。ただ、一個一個の生命は、困難を乗り越えようとはしますけどね。

茂木　脳科学者はときどき「タイムマシン」というメタファー（隠喩《いんゆ》）を使うんです。

脳がなぜ進化してきたのかというと、いい決断や判断、選択をするためであって、このことはそんなに議論の余地がないでしょう。その中で、ある程度「未来予測」をするように進化してきた。脳の中で未来予測の回路は記憶の回路と近いところにあって、だからデジャブみたいなことが起こるんです。たとえば、こうして長沼さんとしゃべっているときに、次に長沼さんは何をしゃべるだろうと予測しながら会話をしている。それについては過去の記憶を参照しているわけです。長沼さんについてのデータが僕の中にあって、それこそ『プロフェッショナル 仕事の流儀』（NHK）で共演したとき、スタジオではこうだったな、とかね。

で、それがときどき混同してしまうんですよね。未来を予測するために過去の記憶を参照しているのに、あたかも未来に起こることが過去にすでにあったように感じる。これがデジャブという現象です。そんなふうに脳はタイムマシンで過去の経験のアーカイブからなるべく未来を予測しようとするんだけど、長沼さんがおっしゃったように、それは〝外れる〟わけですよ。いわゆる「ブラックスワン・イベント」（予期しない衝撃的な現象）という、専門家でさえ予測できない現象が起きる。ちなみに、長沼さんは予想して生きていますか？

長沼　僕はもう予想をやめました。

茂木　やめた？　どういうこと？

長沼　行き当たりばったりで生きています。僕もそろそろ広島大学を定年というタイミングなんですよ。「定年後どうするの？」っていつも聞かれるんだけど、そんなのはそのときに考えればいいと思っている。

茂木　あと五年くらい先ですよね。五年は長いよ。

長沼　でも早い人はもう五年後をプランニングしているんですよ。大学からも、それが推奨《すいしょう》されているしね。ライフプランニングっていうやつですよ。たとえば、老後をどう生きていくかとかね。

茂木　でも、実際どうなるかなんてわかるはずないですよね。

長沼　わからないし、仮にプランしたとしてもプランした人生をそのままなぞるなんて、そんなつまらない人生はないですよ。

茂木　いまだに覚えているけど、大学生のときに法学部の友達でこんなことを言う人がいました。「僕は大蔵省に入って、まずは税務署長になるんだ。そしたら地元の有力な人の娘と結婚して、奥さんの実家からお金をもらいながら、何年頃に天下りして、何回退職金をもらって、そうすると生涯賃金がこれくらいになる」って。僕は口をあんぐり開けて聞いていたんだけど、そんなのわかるはずないですよ。でも、そういう人ってときどきいるよね。

長沼　いっぱいいる。

茂木　僕の師匠の養老孟司《ようろうたけし》先生も、「茂木君、人生なんてどうなるかわかるはずないじゃないか」っていつも言ってますよ。

長沼　そのとおりです。

茂木　だけど、そういう人たちってどうして〝わかる〟という前提で動こうとするんでしょうね。

長沼　わかった気になりたいんですよ。みんな安心したいんじゃない？

茂木　僕は仮想通貨（暗号資産）の行く末もまったく見通せないんです。ずいぶん調べてはいるんですよ、ブロックチェーンとかも。でも、どうなるのかが本当にわからない。

そもそもサトシ・ナカモト（代表的な仮想通貨「ビットコイン」を作ったとされる人物）っていう人が誰なのかわからないしね。ちょっと陰謀史観的なことを言うと、中国が今、「デジタル人民元」の導入を準備しているけど、他の人たちは仮想通貨でちょっと浮かれ騒ぎをしていて、ビットコインの価値が上がったとか、そういう無駄なエネルギーを使っている。そのあいだに中国はデジタル人民元を着々と準備していて、人々が仮想通貨に一喜一憂《いっきいちゆう》しているうちに、ドーンとデジタル人民元を出して、世界の基軸通貨をドルから奪おうなんていう戦略を考えていないとも限らない。経済ってものすごく複雑だから、わからないですね。その点、なんだか生命と似ている気もします。

生物は相互に依存している

長沼　生きものは相互依存というネットワークの中で生きているっていうのが、最近の流行りの考え方なんです。細菌でさえ、細菌同士が、意思があって互いにコミュニケーションをしているっていう話なんだけれども、僕は気に入ってないの。僕は、生命体は一個で、最後の最後はなんとかできると思っているんです。

茂木　われわれの業界だったら「脳腸相関《のうちょうそうかん》」がすごく流行っていて、腸内細菌のコンディションが脳のコンディションにまで影響を与えてしまうという話はあります。

長沼　脳腸相関の話は、もともと一個体としては存在してたんだけど、そこに腸内細菌という第三者が入ってくるという新しい話ですよね。脳腸相関プラス腸内細菌という。

茂木　ピロリ菌が胃にいると胃がんになるって話がありますよね。でもピロリ菌がいないと逆に食道がんになりやすいという説もある。生きものって、あちら立てればこちら立たずというか、ややこしい。その中で、こういうふうにすると健康になりますよといった安易な処方箋《しょほうせん》は、そうそうない気がするんだよね。どう思いますか?

長沼　正直に言って、一個の細胞であれ一個の個体であれ、それは複雑なシステムだから、トレードオフですよ。あちらが立てばこちらが立たずということは、絶対にあります。だから、こういうときはこうすればいいですよっていう断言的なアドバイスは絶対に無理です。

科学と自由意志論

茂木　ところで、腸内細菌っていくつあるの？

長沼　これまでは百兆個っていわれてましたけど、実際には三十兆くらいですね。

茂木　それだけの数がおなかの中にいるんですね。

長沼　腸内細菌は、一個一個が自立した細胞群ですよね。人間の場合は、一個一個の細胞が自立していないんですよ。システムとして成り立っているので。

茂木　そこから出てくる非常に深刻な問題が、「自由意志論」です。これは、人間は他から影響を受けず自由に行動や選択を決定することができるという考え方です。でもやはり自由意志は、科学的には否定せざるを得ません。いかなる事象も過去の事象の結果であり、因果律の影響から逃れられないとする因果的決定論があるので。だけどわれわれはあたかも自由意志があるかのように振る舞っているし、それを前提に社会はできているじゃないですか。たとえば罪を犯した人に対しては、処罰をする。悪いことをしないこともできたはずなのに、それをしてしまったのは、あなたの意志であり責任ですよ、といって処罰するのが刑事法の大前提ですよね。

でも、人間は脳だけでも小脳を入れると神経細胞は一千億くらいある。その振る舞いはものすごく複雑なので、そもそも自由意志とか言う前に自分が何をやるかさえ把握できないっていう議論があるわけです。脳の仕組みから言うと、自由意志というのは拒否権だと言われています。何かをやろうというときに、それをやることを前頭葉がメタ認知で把握して、「いや、これはやっぱりよくないからやめましょう」というのが自由意志だと言われてるんです。Readiness Potential（準備電位）といって、行動のおよそ一秒前に準備電位ができて「これから何かやろうとしてますけど、どうしますか。やめますか」と確認する。「まあ、いいでしょう」ってなったらやるし、「やめましょう」ってなったらやらない。今こうしてしゃべっているのもそうです。本当のことを言うと、自分が何をしゃべるかなんて把握できないわけ。それだけ複雑な事象なので。

だからこの問題って、人間観というか、一人一人の人間をどういう存在として見るかという問いにかかわってくる。僕は、やっぱり人間というのは本当に得体の知れないものというか、自分も他人も何をするかわからない、どうなるかわからない存在だと思っています。その理由の一つが、今言ったように、人間というのは多くの細胞の組織体だからなんです。これはもう把握できない。

長沼 できないですね。一方で衝撃を受けたのは、脳波を測っていると、自分が何かを「する・しない」というのは、自分の表層意識で把握するちょっと前に、観測している人にはわかってしまうということです。自分が意識するより先に、自分の脳波を観測している人にわかってしまう。そういう実験を目《ま》の当たりにして驚きました。

茂木 統計的には観測者にわかってしまいますね。これ、人間界に大きな影響を与えるはずなんだけど、あまり議論されないですよね。

長沼 だって、僕が何をするかを自分で決める前に第三者に知られてしまうって、かなり大変なことですよ。

茂木 それを映画にしたのが、トム・クルーズ主演の『マイノリティ・リポート』（二〇〇二年公開）で、犯罪者が犯行にいたる前に阻止する話ですよね。

「わからない」は教育も同じ

茂木　この「人間ってわからない」という話をもう少し身近な例で言うと、教育熱心なお母さま方から、「うちの子をどう育てたらどうなりますか」ってよく質問されるんです。だけど、「そんなのわかるはずありません」というのが答えになってしまいますね。

長沼　そうそう。僕もそう言いたい。じつは僕、「ちびっこ柔道」の先生やってるんですよ。月水金で。まさに「この子をどうしたらいいんでしょうか」って聞かれることがある。本当は「わかりません」って言いたいけど、一応、柔道教室としては「規則正しい生活をしてください」って言っています。

茂木　この前、シンポジウムがあって、そこで日本の教育がテーマになったんです。その場には養老孟司先生もいらしたんだけど、養老先生って日本の教育を受けて養老孟司になられたわけじゃないですか。当然ですけど。だから、養老先生に、「どうして、そんなふうに養老先生ができたんですか？」って聞いたんです。そうしたら、「茂木君、僕は真面目にずっと世間がこうしろって言うことを、言われるがままにやってきたんだけど、東大の教授になってちょっとしたときに、もうヤダって思ってやめたんだ。だから僕の書く本は売れるんだ」って言ってました。つまり、途中までは世間がこうしろって言うとおりにやってきて、その部分を前提に『バカの壁』（新潮新書）とかを書いているから、多くの人が共感しやすい内容になるんだと。それが養老先生ご自身の分析なんです。でも、日本の教育を受けていて、養老孟司になる道筋は何かって言われても結局わからないでしょう？　大抵の人は養老孟司みたいにならないんだから。そこはわからない。

長沼　養老先生は、僕も一回対談したことがあります。〝たけし&たけし〟で（笑）。そのときには、「虫好き」が幸いしたとおっしゃってた。

茂木　だけど、たとえ虫好きで日本の教育受けても、皆がああいうふうにはならないと思うよ。難しくない？

長沼　そうですね。「虫好き」っていうのは一つの方法論であって、じゃあ何のための方法論かと言うと、普段のしがらみから離れる方法論ですよ。別の言い方をすれば〝逃げ場〟です。僕の場合は「ちびっこ柔道」が逃げ場になっている。

茂木　なるほどね。あと養老先生って、突然脈絡のないことを言い出すときがあるんだけど、なんで今その話をするんだろうって説明がつかない。でもそういうことって、人生にとって重要なことだったりする。たとえばニュートンは「万有引力の法則」を発見したわけだけど、あの人はあの年以外はほとんど何もしてないんですよ。たしかコレラか何かで……。

長沼　ペスト。

茂木　ペストか。ペストで田舎《いなか》に引っ込んでいて、リンゴが木から落ちるのを見つけた。でも、それ以外の年は造幣局の長官をやったり、錬金術の研究をしたりしてたんですよね。あの一年でほとんど一生分のことをやった。まあ、偉大なんですけどね。でもあの一年そこそこのニュートンは何だったのって言ったら、わからない。

長沼　実際には二年だけどね。

茂木　二年か。長沼さん、詳しいですね。あの二年は何だったの？

長沼　あれは学士を取って大学院に進もうと思った矢先にペスト禍《か》になっちゃって、ま

光を調べるアイザック・ニュートン
（Photo12 via AFP/時事）

あ今風に言うと「ステイホーム」ですよね。コロナが二年続くみたいなもので、その間ずっと家で勉強したんですよ。

茂木　でも、ペストで引っ込んだ人はいっぱいいたわけじゃないですか。

長沼　いっぱいいたでしょうね。

茂木　何なんだろうね。

長沼　あのタイミングでそのままケンブリッジにいてもよかったし、いたらいたで別にもっとすごいことがあったかもしれないけどね。ともかく、あの二年間で万有引力と光学と微積（微分積分学）を発見したんだよね。

茂木　往々にして、一番大事なことって、そういうわけのわからない、脈絡もないところから生まれますよね。それが生物として、あるいは人間として一番興味があることなのに説明ができないっていうのは困ったことだよね。

長沼　ニュートンも、やっぱりプランニングじゃないですよね。この二年間で何とかしようってプランしたわけじゃなく、たまたまそうなった。たまたま思いついた。まあ、いくらでも考えられる時間があったし、ニュートンは、その前にすごい勉強してたんですよ。それが幸いしてるんじゃないですか。

「頭がいい」ってどういうこと

茂木　僕は「創造性」について一貫して興味を持っているんですけど、これもやっぱり説明ができないですよね。たとえばアインシュタインが相対性理論を思いついたということも、これは本当に奇跡的なことで、しかも彼は数学があまり得意じゃないんです。

当時、数学が得意な人は別の研究をしていたんだけど、アインシュタインだけがポアンカレのローレンツ変換の物理的な意味を深く考えた。今でも、たとえば超ひも理論とかやってるタイプの物理学者って、あんまり深く考えないんですよ。エドワード・ウィッテン（アメリカの理論物理学者）なんかもそのタイプと思う。

ともあれ、アインシュタインはそこまで数学そのものをやる人じゃなかった。等価原理というか、もうちょっと素朴《そぼく》な思想・思考にこだわる人だった。その組み合わせで一九〇五年の特殊相対性理論はできているし、その後の一般相対性理論も「エレベーターが等加速度で動いているのと重力があるのって同じだよね」っていう、非常にシンプルだけど、正しい洞察から入るんです。

じゃあ、そのアインシュタインの個性が、なぜああいうふうに育《はぐく》まれたんだろうというのは、一番興味あることだけど、よくわからない。長沼さん、「頭がいい」ってどういうことですか？

長沼　僕は、よく人から頭がいい人って勘違いされてるんですけど、それは全然なくて、打っても響かないし、本当に物わかりが悪いんですよ。ただ、僕は疑問に思いやすい。

科学の世界では「なぜ」を聞けってよく言われるんです。僕はしょっちゅう「なぜ？」って思う。好奇心という言葉が一番近いかもしれないですね。疑問に思ったら、そのことがずっと頭から離れない。僕はそれが〝賢さ〟の根源だと思っている。他の人のことはわからないですが。

茂木　賢さって脳科学で定義しようとすると、選択判断の的確さだと思うんです。別の言葉で言えば「リスクを取れるか」ということです。生きものとして生存に役立つのはその力で、それは、どれくらい知識とスキルがあるかということが反映されるわけです。

たとえば原子力エネルギーをどう使うか。原子力潜水艦でも動力源として使われていますが、今後、木星とかに行くときも小型の原子炉を使うことがあるかもしれない。原子炉をどう使うかって、ものすごく高度でリスクがあることですよね。それなりの知識やスキルがないと正しい判断はできません。一方で、生きる上では科学技術とは関係しない判断にも迫られる。この人と結婚していいのかとか、どこの学校に行くべきかとか。学部を間違って入学しちゃう人もいたりするんだけど……（笑）。そういうときの判断の行動原理って、アメリカのＣＩＡ（中央情報局）やイギリスのＭＩ６（秘密情報部＝ＳＩ

Sの通称）のインテリジェンスの概念にかなり近いです。知性ってそういうものだと僕は思う。

日本はインテリジェンスの文化が弱い

茂木 これは個人の持って生まれたものだけじゃなくて、文化でもあるでしょうね。日本はインテリジェンスの文化が極めて弱いので、僕は危惧《きぐ》しているんです。ちょっと話が逸れるようですが、日本はイスラエルみたいなインテリジェンスの使い方をするべきだと思います。ウサギって、いつも耳をくるくる回して周囲の情報を集めているじゃないですか。日本もそういうふうにならないといけないと思ってるんです。

長沼 イスラエルは民族的にはユダヤ人ですよね。彼らは二千年にわたる迫害の歴史を経て、社会的に高い地位につくことが迫害から逃れる術《すべ》だということを学んで、その方向に〝進化〟したんだと思います。二千年って進化するのに十分な時間だから。彼らは人為的に自分たちの意思で、すごく頭のいい集団になった。今、地球上に生きている人類で一番頭がいいのは、アシュケナージ族（東ヨーロッパ系ユダヤ人）ですよ。

茂木　イスラエルはユダヤ系の人でノーベル賞をもらった人のリストを作ってるんですよ。僕がいつだったか手もとで計算した数で言うと、ノーベル賞が始まった一九〇一年から二〇〇〇年までの百年間に、もし日本人がユダヤ人と同じ割合で受賞していたら、五百五十人くらいになるはずです。とくに生理学・医学賞は半分以上がユダヤ系の人ですよね。これって進化と見なすべきですか？

長沼　僕は進化だと思う。高い地位につける脳を持った人間たちが、よりよく生存し、より多くの子孫を残したわけです。

茂木　日本人は真心とか、素直な気持ちとか、真面目さとか、そういうことを美徳と捉えてすごく大切にするじゃないですか。それは素晴らしいと思うんですけど、インテリジェンスって真逆ですよね。つまり、猜疑心《さいぎしん》の塊というか、ありとあらゆる起こり得ることを想定して、その対策を立てておくみたいな頭の使い方です。日本のこれからを考えたときに、インテリジェンスをどう磨いていくかって重要だと思う。

長沼　国家としてもっとインテリジェンスを高めないといけないということ？

茂木　そう。国家として、もっと理論的にさまざまなことを普段から研究している機関がないと危ういんじゃないかと思っています。防衛研究所もあるけど、ＭＩ６みたいなものを持つような雰囲気は日本にはないでしょう。防衛省もそのあたりのことはちゃんと考えていると思うんだけど。先の大戦のときは、日本は兵站《へいたん》とか無視して精神論で突き進んでしまった。戦後の日本が平和を守り、平和を維持できるかということについても、ナイーブな精神論だけでやっているのなら、極めて危険だと思います。そして、こういうことをフラットに話せる雰囲気も大切ですよね。

長沼　僕は南極に三回行ったんだけど、兵站ってロジスティックスだよね。「南極はロジに始まりロジに終わる」と言われているんですよ。精神論では行けない。ユダヤ人のインテリジェンスは、あらゆることを想定して備える上に、その想定が外れた場合はどうするかってところまで考えている。そこが彼らの懐《ふところ》の深さだよね。

茂木　それは非常に正しい言明だね。あらゆることを想定するけれども、例外というカテゴリーもある。ときどき、誰それはじつはＣＩＡの要員だとかって陰謀論めいた話がまことしやかに語られるじゃないですか。そういうときって、真実なのか陰謀論なのかわからないような状態が一番有効なんだよね。

長沼　ちょっと漏《も》らすみたいな、陽動作戦のようなものだね。「大きなうそを隠すために小さな本当を言え」みたいな。たとえば大学でも、入試の作成委員がいますけど、「あなたは入試の作成委員ですか」と聞かれて、違う場合に「違う」って言ったらダメなんですよ。そういうふうに百人に聞いたら誰が委員なのかわかってしまうから。

茂木　それについては否定も肯定もしないってことですね。曖昧《あいまい》戦略というか。さっきユダヤ人は二千年間で進化したって言ったじゃないですか。日本列島に住むわれわれはどうなの？

長沼　ユダヤ人はたった二千年間で進化した。これははっきりしている。どうやら日本人もそうらしい。今はもう世界中の人のゲノムを比べられる時代なんですよ。僕も自分のゲノム解析をやってもらいました。そうすると、自分についてもいろいろなことがわかるし、日本人固有の進化っていうのもあるんです。一つは、日本人はお酒が弱くなる方向に進化してきました。選択圧って言うんだけど、たぶんお酒に弱い人のほうが高い職につくとか、そういうことがあったんでしょうね。僕はお酒に強いから、全然進化していない。お酒を飲む人のほうが高い地位につきにくくて、よりよく生きられなくて、少ない子どもしか残さないというようなことがあって、日本人はお酒に弱くなってきたんだろうね。

「天才」は属性と時代が生む

茂木　オリンピアンなんか見てると、最近はご両親もオリンピアンみたいな選手がいるよね。

長沼　遺伝の影響はあると思いますよ。今言われているのは、一人の人間の個性を作るのは〝遺伝子半分、環境半分〟ということです。

茂木　「フィフティ・フィフティ」の法則でいうと、IQなんかもそうですね。おもしろいと思うのは、天才は凡人から生まれて、天才の子どもは凡人に返っていく現象があること。たとえばアインシュタインのお父さんは凡人だし、モーツァルトのお父さんも凡人。彼らの子どもも凡人。僕は、天才はネットワーク事象だと思っていて、その人の属性が時代の何かと結び付いたときに天才という現象が生まれる。そういうことも含めて、遺伝子の要因は五〇パーセントってことですよね。

長沼　たしかに科学者の場合は、アスリートのように親が優秀だからどうこうということは滅多《めった》に起きないですね。

茂木　研究者って分野によって要求される能力が違いますしね。チャールズ・ダーウィンは、おそらく数理的な能力はほとんどなかったんだけど、彼っておもしろいよね。統計的な解析とかをしたわけじゃないから。

長沼　もともと〝枚挙の学問〟ですからね。

茂木　ただ、進化論については、本質をつかんだんだよね。

長沼　彼のおじいちゃんが「エボリューション（進化）」って言葉を使ってたんですよ。

茂木　よく知ってるね。やっぱり、あなたと話していると便利だ（笑）。僕と長沼さんでも、求められてる能力が違う感じがしますよね。

長沼　チャールズ・ダーウィンのおじいちゃんはガチガチの社会進化論者で、チャールズはずっとそれを嫌って逆のことを考えていて、正しい進化論に行ったんですよ。ただ、そのチャールズだって、ガラパゴス諸島に行ったことで、進化論の着想を得たわけです。そもそも、ガラパゴス諸島に行ったのは偶然ですからね。

茂木　ビーグル号ね。

長沼　そう。ビーグル号に乗れたのは偶然なんです。あの偶然がなければ、ダーウィンはただの変人だったかもしれない。

茂木　すごいですよね。そういうことを踏まえて、知性とは何なのかって考えると、思っているより多様なものだということですね。生物学でも、ものすごく能力の高い人が必ずしも生物への深い洞察を持っているわけではないんです。僕は人にインタビューすることも多いんだけど、小説家の方に話を聞くと、いい小説を書く人が必ずしもたくさんの小説を読んでいるわけではないことに気づきます。世界文学全集とかの知識に基づいて書いているというよりも、なんとなく自分の感覚で書いている。そして、意外と文学の知識のある人は小説が書けなかったりするんです。それがおもしろいと感じます。

ある種の創造性のためには、ある種の愚かさが必要とも言えますね。

人柄や性格を生むもの

茂木 それと、人格というのは遺伝子というより主に社会的な環境からできている。心理学者のジュディス・リッチ・ハリスという人が「子どもの環境はどこにある？」という、いい論文を書いています。この論文の衝撃的な結論は、人格に関して両親の影響は統計的にゼロになるくらい軽微《けいび》なものだということです。子どもは、両親だけじゃなくていろいろな人の影響を受けてパーソナリティの構築をするんです。逆に言うと、両親の影響が重大になるのは虐待《ぎゃくたい》やネグレクトといった深刻なマイナス要因がある場合だと言われています。

長沼 親と子は同じ遺伝子を持っているから、遺伝子ベースで似てくる部分はあります。たとえば一卵性双生児で見ると、ゲノムは完璧に同じなわけです。でも生命の設計図が同じだったら、そのあとも同じような道を歩むかというとそうではなくて、じつは遺伝子のスイッチのオン／オフがある。その遺伝子のスイッチのオン／オフの入り方が環境で変わっちゃうんです。飲んでいる水や食べもの、吸ってる空気が違うだけでも、スイッチングが変わっちゃう。そこに人間関係なんかが入ってきたら、どんどん変わってしまうわけです。スイッチの入り方が五十年も違えば、二人はまったく別人になってしまうわけですね。これはゲノムレベルで、今スイッチが入っている遺伝子はどこかということが、染色体でわかります。三歳のときはまったく同じようなスイッチングだったのが、二十歳くらいになると全然違っている。

茂木 そのエピジェネティクス（DNAの配列変化によらない遺伝子発現を制御・伝達するシステム）って本当におもしろくて、たとえば一緒に食卓に座っていても、位置によって見えている視覚イメージが違いますよね。そういうことの蓄積も含めて個性というのは影響を受ける。クローン人間を作るっていうアイデアがナンセンスなのは、そういうところです。

長沼 僕がやってる「ちびっこ柔道」でも、きっと何らかのいい影響を受けている子どもはいると思うし、逆に言うと僕も影響を受けている。影響し合っている。だから、どういう関係性の中で生きてるかっていうのは、とても大事だと思います。

あと、人間は、過去と他人は変えられないけど、未来と自分は変えられるはずって僕は思います。だから、自分を変えよう、いい人になろうと思うようにしている。もともと思いやりや寛大さがなかったわけじゃないけど、より思いやりを持てる人間をめざす。そう思っていくことが、自分で自分を変えられる要因になるだろうと。

茂木　偉いね。大切な視点だと思う。

「逃げ場」を持つことの意味

茂木　さっき養老孟司先生の「虫好き」がある種の〝逃げ場〟になってるんじゃないかって長沼さんが言ったよね。それって、すごく興味深い論点だと思います。養老先生がゾウムシを追いかけていることに、世の中の多くの人は当惑していると思うんです。『バカの壁』とか解剖学者としての知見とかは求められているし、重宝されるけど、ゾウムシの話は聞かなくてもいいかなと思っている人が大半でしょう。

でも、無償の行為というか、社会的な評価と関係なく純粋に自分が楽しめることは、長沼さんが言ったように〝逃げ場〟だし、大事なことなんです。実際、子どものときに夢中になって遊んでいることって、そういうものでしょう。そういうものが自分を支えてくれている。先般亡くなった心理学者のチクセントミハイ（二〇二一年十月に逝去）が言う「フロー」ですよ。それが幸福の原形なんです。それを知っている人は強いですね。

長沼　茂木さんにとっては、何がそれにあたっているの？

茂木　今はランニングかな。だって走ってるのって社会的評価とまったく関係ないですからね。十キロ走っても誰もほめてくれないし、体重も減らないし。

長沼　十キロも走るのはほめますよ（笑）。すごい。

茂木　一応フルマラソン走ってるんです。長沼さんも走ってみる？

長沼　僕は歩くほうがいい。

茂木　哲学者の梅原猛《うめはらたけし》先生が亡くなられる少し前に、お聞きした話を思い出しました。

梅原先生って大学院生のときに結婚して、奥さんに養ってもらっていた時期があったそうなんです。ところがそのときに、将棋の駒で野球ゲームを考えて、何チームものリーグ戦を作って、将棋の駒を振ってヒットやアウトを決めてスコアを付けて遊んでいたと。一人遊びですよ。それで、そのスコアノートが奥さんに見つかって、すごく怒られたって言っていました。でもそういう人だから、ああいう大学者になったんだなと思ったんです。将棋の駒を使ったどうでもいい野球ゲームに熱中できる人だから、遠くまで行けるんじゃないかと。話は変わりますけど、長沼さんは定年後も研究続けるの？

長沼 研究はもういいかな。ちゃんと自分の天職を発見したから。

茂木 え、なんですか？

長沼 チェーンソーで木を切り倒す。

茂木 どういうこと？（笑）

長沼 木を切り倒すってすごく難しいんです。自分が思っている方向に木を切り倒すのって、頭を使うんですよ。研究して論文を書く頭の使い方もあるけど、それとは別に、木を正しい方向に倒すという使い方もあるんです。

茂木　芸術家のマルセル・デュシャンは、ある時期から突然チェスをやり始めて、しばらく芸術活動をやめてずっとチェスをやっていたそうですね。そういう頭の使い方というか時間の過ごし方っておもしろいよね。長沼さんにとってはそれがチェスじゃなくて、チェーンソーで木を切ることだったのかな。

長沼　チェーンソーは、東日本大震災のあとにボランティアとして被災地でやったことがきっかけでした。震災がなければ、チェーンソーに触っていない。今は近所の高齢者が多い過疎《かそ》地で、この木が倒れて電線にかかったら停電しちゃうから切ってとか頼まれて、ボランティアで切ってあげたりしていますよ。

茂木　楽しそうだね。

第2章
「生きる」を考える

生物の寿命

茂木　長沼さんは広島大学でチョウザメの研究をやってるんだよね。何匹くらい飼ってるの?

長沼　大学の中には四十匹くらい。外に預けているのが二十〜三十四匹ですかね。

茂木　それはどういうところに預けるんですか?

長沼　一カ所はチョウザメの養殖場。もう一カ所は、昔、鯉を飼っていたというお年寄りのところです。

茂木　鯉を飼うメソッドがあると、チョウザメも飼えるの?

長沼　まあ池があって水の出入りがあればいいですね。循環《じゅんかん》ろ過《か》だと大変だけど、うちが預けているところは両方とも〝かけ流し〟なので全然問題ないです。

茂木　自然界だと川や湖にいるのに、水深一メートルくらいの場所で大丈夫なんだ。

長沼　問題ないです。自然界ではもっと深いところにいるけど、人間が扱う場合は一メートルくらいじゃないと大変なんです。それでも水に入るとズボッと胸のあたりまで来ますから、結構怖いですよ。

茂木　長沼さんにいただいたチョウザメの刺身、おいしかったですよ。淡白《たんぱく》かと思ったら意外と濃厚な味だね。あれは売れるよ。

長沼　いや、そもそも生産量が極めて少ないんですよ。

茂木　チョウザメって鮫《サメ》じゃないんですよね？

長沼　はい。チョウザメは淡水魚です。鮫に似ているからチョウザメって呼ばれているけど、サメは軟骨《なんこつ》魚類でチョウザメは硬骨《こうこつ》魚類です。チョウザメの卵がキャビアですね。チョウザメは非常に古い魚で、〝生きている化石〟ですよ。

茂木　飼っていたチョウザメが亡くなったとツイッターでつぶやいていたね。

長沼　そうなんですよ。「ハローちゃん」と名前つけてかわいがっていたんだけど。今、冷凍してます。

茂木　チョウザメの寿命ってどれくらいなんですか？

長沼　五十年は生きると言われていて、長いものは百年を超える。ほぼ人間と同じと思っていいでしょうね。

茂木　ハローちゃんは何歳だったの？

長沼　ハローちゃんの場合は三、四歳かな。

茂木　じゃあ、かなり夭逝《ようせい》だったんですね。生物の寿命って数時間から数日のものもあるし、人間より長く生きるものもあるよね。この差はどこから生じてるの？

長沼　一般的に言えばボディサイズに関係していますね。体が大きいほうが長寿で、小さいものは短命と言われています。体が大きいと捕食者も近寄りがたいという面もありますね。だから、大きくなることにはそれなりの意味があるんですよ。

茂木　ウミガメなんかも長生きするよね。

長沼　まあ全部、結果論ですけどね。生物の場合、何か目的をもってやっているわけじゃないから、「なぜ長寿なのか」と聞かれてもわからないんですよ。結果的にその種が生き残っているんだから、その選択は悪くなかったとしか言えません。

茂木　細胞の寿命もまちまちだよね。筋肉とか肝臓とか、早いものは二週間くらいで入れ替わるけど、脳細胞なんかは寿命が長い。人間は今のところ最高齢が百二十歳ちょっ

ありし日の「ハローちゃん」（長沼氏のツイッターより）

とですよね。人間の脳細胞の寿命を検証するのは難しいんですけど、原理的には百五十年近いということが言えるかもしれない。神経細胞は基本的にシナプス結合、つまり神経細胞の結合のパターンが重要なので、基本的に入れ替わるわけにはいかない。個体の寿命と、神経細胞や細胞の寿命って違うんですね。

でも、「HeLa《ヒーラ》細胞」という、一九五一年にがんで亡くなった女性から取り出した培養細胞はずっと生きていて、今でも実験で使われてるんです。

細胞ってある種プログラムされて動いているものなので、どうしてもエラーが蓄積されて、「がん化」が起きてしまいます。ある程度の年齢から人間もそのリスクが高くなる。寿命が延びることはいいことなんだけど、それだけがん化するリスクが出てくるということです。発がん性遺伝子と呼ばれているものもあるし。まあ、釈迦《しゃか》に説法ですけど、要するにDNAの修復にかかわる遺伝子がうまく働かないと修復ができなくなっちゃう。別に放射線で遺伝子が損傷するという事象が起きなくても、人間はいろいろな理由で遺伝子を損傷していて、だからがんになるわけです。

生命と情報の関係

茂木　僕の大学院の指導教官が医学部出身の若林さんっていう人だったんだけど、よくこんなことを言ってました。「お前たち気をつけろよ。人間が一番致死量に近い量を摂取しているのはアルコールなんだぞ」って。長沼さんもお酒好きだから、気をつけたほうがいいですよ。

長沼　一番すごい人は横山大観《よこやまたいかん》ですよ。

茂木　画家の？

長沼　うん。彼は四十歳でブレイクして以来、毎日一升瓶《いっしょうびん》を飲み続けて、なんとそれから五十年も生き続けたんですよね。すごいですよ。

ところでさっきの脳の神経細胞が百五十年という話だけど、とは言え、物質としては入れ替わってるんですよ。

茂木　もちろんそうですね。物質レベルだと。

長沼　大事なのはパターンなんです。それは二つあって、一つはわれわれの体ですよね。毎日ご飯を食べて、必要なものを入れて不要なものを出す。その結果、われわれは物質的には半年くらいでまったく別の個体になっているわけです。でもパターンは残っている。それは細胞にいたるまで同じです。もう一つのパターンが、茂木さんがおっしゃったシナプスの結合パターンです。だから、この二つの次元におけるパターンの持続性というのが大事です。

神経細胞は特別で、グリア細胞という「お世話係」がいます。このグリア細胞がさまざまな役割を担ってくれているから、神経細胞はひたすら電気信号を伝えるという神経の仕事に特化できるんです。これは、いわゆる脊椎《せきつい》動物なら、基本的に同じです。

茂木 よくわかります。でも生とか死って、難しいですよね。最近、生命がずっと維持できるんじゃないかって言説を振りまく人がいるけど、それは難しいだろうなと思う。僕は基本的に、「死ぬこと」は避けられないと思います。コンピュータの中に脳の情報を移して永遠の生命を夢見ちゃうような人もいるけど……まあでも、人間がそういう夢を見ちゃうのは仕方ないのかもしれない。

長沼 そうですね。

茂木 近頃、情報概念が出てきてから「生きる」っていうことに関して混乱があるような気がしているんです。たとえば、VR（仮想現実）やAR（拡張現実）をどう捉えるかという問題で、最近だとメタバース（インターネットを介して利用する三次元の仮想空間）も注目されていますよね。デイヴィッド・チャーマーズという、「クオリアというのはハード・プロブレムだ」と言った哲学者がいます。彼は最近出した本で、〝VRってもはや現実だよね〟みたいなことを主張しているんですけど、僕から見ると、それはかなりナンセンスだと思う。

僕はチャーマーズのことはすごく尊敬してるんですけど、一流の哲学者の中でも、生きることと情報とを混同している人がかなり出てきている状況です。でも僕は、生きるということは、もうちょっとどうしようもないことという気がするんです。人工知能とか、テクノロジーがどんなに発達しても、やっぱり生きるということのすごさに比べたら、別にそんな大したことやっているわけじゃない。そこの議論がちょっと混乱している。長沼さんもそうだと思うけど、生物学者はそういう言説に対してちょっと距離を置いて見ているんじゃないかな。生命と情報の関係って、長沼さんはどう見てますか？

生命はシミュレーションできない

長沼　パソコン上で、大腸菌を動かそうという試《こころ》みがあります。どういうことかと言うと、大腸菌の遺伝子があって、ゲノムがありますよね。それは大腸菌のいわゆる〝設計図〟です。大腸菌のゲノムが描いている設計図をちゃんとプログラミングして、パソコン上に「e大腸菌」をつくる。するとその「e大腸菌」に、たとえばブドウ糖を与えると、活動し始めてそのうちに分裂するんです。本当の大腸菌と同じようなスピードで。

茂木　それはどれくらいの変数を入れてるんですか？

長沼　パラメータはあくまで参考です。もちろん、実際の大腸菌と同じような〝振る舞い〟になるように、調整します。

茂木　でも、それって実際の大腸菌とは違うじゃないですか。

長沼　〝振る舞い〟が同じになるんです。もちろん、実際の大腸菌も実験条件を完璧にコントロールしています。そうやって、実際の大腸菌とパソコン上に作った「e大腸菌」の条件を同じにすると、ピッタリと合う。ここまではわかっています。少なくとも、うまくいった例が一つある。問題は、この一例をどう見るかです。生物学者は、たいへんな努力をしてその「e大腸菌」をつくりました。結果、「生命ってなんて精巧《せいこう》にできているんだ……」と逆に驚嘆したわけです。「こんなものが自然発生するのか」と。だから、結局「e大腸菌」をつくってわかったことは、われわれはあいかわらず不可知論にいるんだってこと。つくったはいいけど、これはあまりにも大変だし、すごすぎると。

茂木 それはすごくいい例ですね。今、脳を再現しようというプロジェクトがあるんだけど、脳を再現する以前に一個の細胞、大腸菌でも何でもいいんだけど、それがシミュレーションできるかどうかという難題がある。仮にできるとしたら、それはどういう意味なのか。こうした問いって、そんなに単純じゃないですよね。数学的には同値類というか、「これとこれは同値と見なせます。なぜなら振る舞いのグラフが一緒です」みたいなことは言えるわけだけど、でもそれは、「その見方をすれば同じかもしれない」ということにすぎないわけだよね。

最近、あるベンチャー企業が僕のデジタル・アバターというか、デジタル・クローンを作ったんです。画面上で、僕みたいな顔をしていて、しゃべるんですよ。僕のツイッターとかユーチューブ、書籍からデータを拾ってきて、僕がいかにも言いそうなことを言ってるんだけど、でもやっぱりそれは僕ではないからね。たとえばそのクローンに「おまえ、長沼さんについてどう思う?」って尋ねたら、そんなに詳しいことは言えないはずです。僕が公《おおやけ》に言っていない情報とか、人前で話せないようなエピソードとか、ありますしね。

長沼　まあ、そういう類《たぐ》いの話は誰にでもあるんじゃないですか。

茂木　それこそ、「e大腸菌」では再現できない、予測不能で普通では考えられない振る舞いが、大腸菌で起こる可能性もありますよね。

長沼　もちろんありますよ。大腸菌の一つの細胞が、分裂を繰り返すと二になって、四になって、八になるでしょう。十回分裂すれば千二十四。もう十回したら百万を超えます。この百万匹の遺伝子のオン／オフが全部同じかというと、違うんです。元は同じなのに、百万匹に増殖したら違った振る舞いをするやつが出るんですよ。

茂木　リチャード・ファインマン（アメリカの物理学者）の話で、水の中にいる微生物を顕微鏡で観察していて、その水が干上がったときに、微生物が想像しなかった挙動をしたっていうのがありましたね。生きものって思わぬことをするじゃないですか。たとえば大腸菌は、真空状態の宇宙に出たらどうなりますか？

長沼　すべてかはわからないけど、普通の大腸菌は、間違いなく死ぬと思います。その一方で、納豆菌は大丈夫だと思う。百匹いたら十匹くらいは、大丈夫なんじゃないかな。

茂木　なぜ納豆菌は宇宙で大丈夫なの？

長沼　宇宙に出されたら、納豆菌はたぶん、細胞の中に胞子を作る。内生胞子っていうんですけど、その胞子を作っちゃうと強いんです。

茂木　宇宙の真空の納豆菌がそうした挙動をするかどうかって、コンピュータ上でシミュレーションできないんですか？

長沼　今はまだそこまで情報が集まっていませんからね、難しいかな。

茂木　うーん。シミュレーションって怪しいんですよね。基本的に他者性というか、僕は長沼さんはこういう人だって思っているけど、本当のところはわからない。たとえば長沼さんが納豆を食べたときの振る舞いとか、僕には未知だからね。

長沼　僕、納豆苦手だから。

茂木　え、そうなんですか？　どうして？

長沼　あのネバネバ感がダメなんだも〜ん（笑）。

茂木　おいしいのにな……。「バーチャル長沼」がシミュレーションできたとしても、まさか納豆食べられないとは思わないよね。やっぱり生きものってシミュレーションしきれないいんだよ。

長沼　食べ物の好き嫌いで言うと、今、僕らの分野でおもしろいトピックスはさっきも話題に出た脳腸相関《のうちょうそうかん》ですね。腸が「第二の脳」とか言われるじゃないですか。そこに最近は腸内フローラなどの微生物叢《そう》（微生物の集合体）がからんでくるんです。つまり、「脳腸相関プラス微生物」が、今ホットな話題になっているんです。たとえばこの栄養素が入っているといいとか、食物繊維《せんい》が入っているとビフィズス菌が活躍して、脳内のセロトニンの原料を作ってくれるから幸せを感じるとか、そういった話がいっぱい出てきている。そういう類いの言説って、ちょっとシンプル過ぎて一〇〇パーセントは受け入れられないかもしれないけれど、大筋としてはおもしろいと思う。

茂木　僕も脳腸相関は重大な関心を持っていますよ。動物実験で「食いつきのよさ」っていう概念があって、ラットでも何でもいいんだけど、餌《えさ》をやるじゃないですか。食べた後に、もっと食べようとするかどうかを見るんです。好きなものは、そこでもっと食べたくなる。昔、ケンブリッジに行ったときに、オリビエっていうフランス人の友達に日本食を食べさせようと思ったんだけど、当時は材料もなくて。それでロンドンでオタフクソースだけを買って、お好み焼きを作って食べさせたんです。そうしたら彼が、「これは食べれば食べるほど、もっと食べたくなる」って言うんですよ。オリビエは食にうるさい人なんだけど、お好み焼きには食いつきがよかった。動物行動学的に言うと、一つ食べたときにもっと食べたくなるかどうかは、好むか好まないかによるわけです。

ドイツのビール業界には「バイター・トリンケン」っていう言葉があって、「さらに飲みたくなる」「飲み飽きない味わい」といった意味です。ビール会社の人に話を聞くと、ドイツのビールはこれを評価基準の一つにしているそうですね。長沼さんが言ったように脳腸相関もあるけど、脳の報酬系――ドーパミンとか、これも興味深い。

パクチー嫌いは遺伝？

茂木　あとおもしろいのは、何か食べた後に嘔吐《おうと》反応が起こると、もう二度とそれを食べたくなくなるってことありますよね。たとえば牡蠣《かき》にあたったりすると、二度と牡蠣は食べたくないみたいなことです。逆に、子どものときは嫌いだったけど大人になると好きになる食べ物とかもある。ビールとかパクチーとかね。

長沼　何が変わるんでしょうね。

茂木　パクチーはレセプター（受容体）があるみたいです。僕の場合、遺伝子検査を提供している「23andMe」社で調べてもらったら、微妙な結果でしたが。

長沼　僕はパクチー大好きなんで、いつも増量をお願いします。

茂木　本当に？　でもダメな人はダメですよね。ドリアンとかクサヤとかも、遺伝的に何かあるんでしょうね。

長沼　アンモニア臭《しゅう》ですね。

茂木　昔は食べものってそんなに選べなかったじゃないですか。そのときに、あるものを食べられるポピュレーション（個体群）と食べられないポピュレーションがいれば、飢餓《きが》がおこったときに、食べられる人が生き残ったんでしょうね。逆に食中毒になっちゃう場合は、食べない人のほうが生き延びるってことになる。集団の中にいろいろなタイプがいたほうが、きっと全体としてはよかったんじゃないかな。

長沼　そうですね。さっきのお好み焼きの話だけど、ソースは進化してるんですよ。どんどん酸味が強くなってきてる。

茂木 オタフクソースでおもしろいのは、あれ、デーツが入ってるんだよね。

長沼 ナツメヤシの実で、甘いやつですね。

茂木 一説には、「旧約聖書」に出てくる「エデンの園」の知恵の実は、リンゴじゃなくてデーツだったという話もあるから、そういう意味でもおもしろいですよね。デーツが一般的な中東地域では、オタフクソースってすごく人気らしいですし。

長沼 アラブに行ったときに、食べるものがなくて大変だったんです。僕は羊の肉が食べられないから、食べられるものがデーツかオリーブかチーズしかない。だから、ひたすらにデーツを食べていました。

茂木 僕は、すいとんをおいしいと思うんだけど、うちの両親は「二度と食べたくない」と言うわけ。あとサツマイモが嫌いとかね。それは戦中戦後の食糧難で、そういうものばかり食べさせられたからだと。僕らの親世代はそういう人が多いね。

長沼 それは記憶によるものですね。バイオロジカル（生物学的）には根拠がない。

茂木 そう。サイコロジカル（心理学的）ということだね。

塩分と糖分の取り過ぎ

長沼 あと、塩好きっているじゃない。

茂木 お酒を飲むときに、塩で飲むという人もいますね。

長沼 それって基本的におかしいというか、必要量のNaCℓ（塩化ナトリウム＝塩）は普通にご飯を食べたら取れるから、本来、あえて塩を振る必要はないんです。でも、ほとんどの食文化で、塩を必要以上に取っている。

茂木 「敵に塩を送る」という言葉があるように、昔は戦略物資として貴重だったんでしょう。それでもなぜ必要以上に塩分を取るのか？

長沼 そこが問題で、「中毒説」というのもあります。

茂木 塩中毒？

長沼 そう。でもまあ、これはよくわからないんです。人間はなぜか、先天的か後天的かは別にして、塩が好きである。赤ん坊はお母さんから生まれますが、中には母体が低塩分症であることで、赤ちゃんも低塩分症になっている場合があります。この子は大人になっても塩分を欲しがるらしい。逆にお産のときにちゃんと赤ちゃんの体に塩分が入ると、大人になってからもそんなに塩を取らないで済む。つまり高血圧にならずに済むという研究も最近は出てきています。

茂木　あと、よくある説として、ポテトチップスが食べたくなるのは、塩分がちょっと控えめになっていて、もう少し塩分が欲しいと感じるところで止めているからって言いますよね。

長沼　そうなんだ。あと糖分も同じですけど、この塩分と糖分の取りすぎっていうのは今後の人間の大問題だと思いますよ。将来、ウイルスもがんも医学的に克服できるとすると、あと残るのは自分自身がいかに健康管理するかの問題になるからです。

茂木　糖分が欲しくなるのはドーパミン系の働きなんですけど、やっぱり氷河期だったり食料が乏《とぼ》しかった時期だったりを生き抜いた遺伝子を持っているからなのかな。目の前のチャンスを逃すと次にいつ甘いものを食べられるかわからない状態だったわけじゃないですか。人類の歴史の中で甘みってすごく希少《きしょう》なものですからね。ふんだんに手に入るようになったのは、ごく最近の話です。そういう環境要因と、もともとわれわれの持ってる貪欲さがマッチしなくなってきてるんでしょうね。

長沼　われわれはホモ・サピエンスっていう生物種で、これは三十万年の歴史があります。その三十万年のうちで言うと、ほとんどの期間で糖分は不足状態でした。だから、われわれの体や遺伝子は、糖分過剰《かじょう》に慣れていないんです。これは大問題ですよ。塩分も同じです。塩分過剰や糖分過剰にわれわれのゲノムが適応できていないんです。

糖分って、でんぷんなど、植物由来のものが主ですよね。植物性のでんぷんを過剰に取れるようになったのは農耕革命以降で、この一万年くらいの話です。その頃から人間の一部の特権階級だけが糖分を過剰に摂取できるようになったんです。ただ、植物食というのは徹底的に塩分がないんですよ。植物そのものが塩分を嫌ってるから。つまり、われわれは植物に食べものを依存するようになってから、塩分不足になったわけです。だから世界における製塩という文化も農耕の発達の直後からなんですよ。われわれの糖分や塩分の過剰摂取というのは、植物に塩分がなかったことに起因していて、製塩技術が発達したから塩分が取れるようになったんです。

茂木　それはおもしろいですね。

ウイルスの弱毒化

茂木　『スマホ脳』（新潮新書）っていう本が流行《はや》りましたけど、たしかにスマホほど脳を退屈させないものって、これまでなかったですよね。退屈させない＝夢中にさせるものですが、スマホはまさに「ドーパミン発生装置」と呼んでもいいくらいですよね。脳はちょっとでもおもしろいものがあると、パーッてそちらに意識が行くように作られています。スマホは、それこそ脳を刺激するものがいっぱい詰め込まれているから、われわれはつい依存してしまう。そう考えるとたしかに塩分も糖分もスマホも、われわれの生活環境にはふんだんにないという時代が圧倒的に続いていたから、アディクション（依存、中毒）に対する耐性がないんですよ。

長沼　そうですね。塩分と糖分の話はあくまでバイオロジーの領域で、スマホはまたレイヤーの違う脳の話なんですけど、構造は同じですね。

茂木　ちょっと宗教の話に飛ぶけど、宗教ってやっぱり文化的に生まれたときには、人々は最初、みんなアディクトしたと思うんです。たとえば「キリストがこういうことを言った」「ブッダがこういうことを言った」って形で世界の理屈を教えてくれる新しい視点が提示されたときに、すごくアディクションが起きたと思う。それが「比較したらこっちのほうがいいよね」とか「こっちのほうが本当みたいだね」という具合にだんだん成熟していくんです。あるものが登場したときに、最初はアディクションを起こして、しばらくすると落ち着いていくプロセスがある。コンピュータゲームなんかもそうかもしれないですよね。今の学生さんっておそらくコンピュータゲームをたくさんやっているんでしょうけど、あれもそのうち落ち着いていくんですかね。

そう考えると、なんかウイルスの挙動にも似ているように思いませんか？　最初は致死性の高いものが多いけど、コロナもオミクロンあたりから弱毒化して、落ち着いてきたでしょう。この弱毒化って、生物学的に言うとどういうことなんですか。

長沼　正しい進化です。

茂木　ああ、宿主《しゅくしゅ》を殺したら元も子もないから？

長沼　そう。

茂木　それってちゃんと理論的に説明されているんだろうか。

長沼　理論的というか、モデルがありますよ。ウイルスなどのＤＮＡやＲＮＡ、あるいは遺伝子情報が、どうやったら一番広がるかというのは、いろいろな方法があるわけです。その中の一つの解として弱毒化があると。

茂木　じゃあ、ＨＩＶもそうだったけど、Covid-19も人類と出合った直後が一番強烈な反応が起こっていたの？

長沼　そうです。で、デルタ株は鬼っ子ですね。進化を間違えた。

茂木　鬼っ子！　間違えちゃったんだ。

長沼　そう。僕の言葉で言えば「アホなヤツ」「アホ株」ですね。

茂木　アホなウイルスなんだ。オミクロンは賢い？

長沼　オミクロンはいい子ですね。

茂木　中世のペストが終焉《しゅうえん》を迎えたのも、弱毒化したからですか？

長沼　そうなりますね。HIVに関しては、じつはまだワクチンが作れていないんです。だから、われわれの免疫機能もうまく働いていないわけです。そういう意味では、HIVも進化的には「アホ」な段階なのかもしれませんね。

茂木　でも、症状は抑えられていますよね。

長沼　人間の側が進化したので治療薬があるからですよ。HIVのウイルスの増殖を抑えられなくても治療薬があるから、たとえ感染しても普通の人の人生くらいは生きられるんです。それはなんだか人間とHIVとの共進化のようにも見える。

茂木　この「激烈」から「落ち着き」に移行する話って、意外とおもしろい気がするんですよね。脳科学をやっていると、ときおり「恋愛は三年くらいで終わるものですか」みたいな質問が来るんですよ。正直、くだらないなって思って辟易《へきえき》するんですよね。ただ、たしかに恋愛の初期の頃の燃え上がった感じから、ちょっと落ち着いたステディな関係になっていく、その時間変化だけを見ると似てはいる。インターネットなんかも、最初に登場したとき「これで社会が変わる」とか言われたし、あるいは実際に「アラブの春」みたいな民主化運動も起きたけど、今はもうインターネットにそんなに期待してないじゃないですか。みんなそうやって、すべてのことは段々と落ち着いていくんでしょうね。
そういうところも、生命ってなんか不思議だよね。

大学の本質的な価値

茂木 大学も同じかもね。明治時代に大学ができたときは立派に見えたけど、今は落ち着いて「まあ、こんな感じだよな」というごく当たり前の存在になっているところがあるんじゃない？

長沼 今回のコロナ禍《か》で、授業がオンラインになったり、授業動画をアップするみたいなケースが増えたんです。そうすると大学はもうコンテンツ産業ですよね。

茂木 教師側としては嫌だよね。

長沼 いや、僕はもうそれでいいと諦めました。大学はコンテンツ産業なんだと。

茂木 どういうことですか？　コンテンツを作ればいいってこと？

長沼　うん。そうすると逆にね、いいことも起きる。ハーバード大学なんかもやってるみたいなんだけど、授業がコンテンツになると、たとえばアフリカなんかの遠い国や、大学に通うお金や時間のない人たちにも見てもらえる。そういうのはおもしろい方向性だと思っています。

茂木　そうなると、極端に言ったら学びはユーチューブでいいってことになりますね。

長沼　そうなんですよ。ユーチューブに勝てない。

茂木　なるほど。でも僕は、こうやって長沼さんと実際にフェイス・トゥー・フェイスで会って議論をしていると、リアルな場にこそ価値はあるんだって、コロナになって逆にわかった気がするけどね。

長沼　二つに分かれるんでしょうね。コンテンツ産業の部分と、リアルなコミュニケーションの部分と。

茂木　僕はその「リアルな場」の部分が、やっぱり大学だと思うな。最近の学生は大学に来るの？

長沼　まあ、今の学生はなんだかんだ言っても大学に来ますよ。ただ、授業に出るかっていうと授業には出ない。

茂木　何してるの？

長沼　なんとなくだべってる感じの子も多いです。

茂木　やっぱり「場」が欲しいんですよね。

長沼　そうそう。

茂木　それって、生命にとってはすごく大事なことだよね。さっき言ったチャーマーズがＶＲやＡＲは現実だって言っても、やっぱりそれは違うと思う。だって、僕と長沼さんがここでお互いにＶＲゴーグルをつけて、それぞれの世界にいたら、やっぱりここは何なのってことになりませんか。

長沼　まあ、動物は距離が近づきすぎるとストレスになるし、でも近い距離にいることで生まれる安心感や昂揚《こうよう》感もあるんですよね。それは動物の性《さが》ですよ。まさに「場」ってそういうことじゃないですか。この距離感っていうのがあって、それが遠かったり近かったり、同じ距離にいるのに今度は心理的距離が遠ざかったり近づいたりね。

バーチャル・ニーチェ

茂木　そのときに大事なのは、物理的に近くにいられる人を選べるってことだと思うんですよ。誰でもいいわけじゃない。「気が合う」とか「一緒に酒が飲みたい」とか。それはリアルに接してるときは選べるじゃないですか。これがネットだと選べないというか、勝手に向こうから来る。だから、僕は、そこは物理的に選びたいんですよ。そんなことないですか。そのあたりの議論がすごく混乱している気がするから、ちゃんと整理したほうがいい。VRもARも、あとオンラインゲームもね。今の学生でも、オンラインゲームをやっているような人は、誰かとしゃべりながらでもずっとやってるんだよね。ああいうのを見ていると、人間の身体性が混乱している気がする。

長沼　オンラインゲームってどうなんですか？　一度もやったことないんだよね。

茂木　このあいだ、マイクロソフトがアクティビジョンっていうゲームソフトウェアの開発会社を六百八十七億ドルで買収すると発表しました。すごい金額です。なぜ買収したかと言うと、メタバースを作るプラットフォームが、じつはオンラインゲームの中にあるってマイクロソフトが気づいたんですよ。オンライン上で一緒に旅をしたり、モンスターと戦ったりするんだけど、それがゲーム内で非常に洗練された形で実現されているんです。

長沼　へー。すごい。

茂木　すごいよ。今の学生はそれがもはや日常なんです。ただ、じゃあ彼らは友達との関係をどう捉えているのかなってことは気になるよね。

長沼　この前、ある人としゃべったんだけど、生物学的に言うとおもしろい出来事の一つが「目」の誕生なんですよね。目が誕生することによって、「見る側」と「見られる側」が発生したわけ。そして、「見られる恐怖」というのが生まれて、それが体表に固い鎧《よろい》のような外装をもった生物を生んだって言われてるんですよ。たしかに見られる側としては外装を固めたいよね。

茂木　だいたい野生動物がこっちを見ているときって、食べるときだよね。

長沼　そうそう。ひるがえって人間界だと、もちろんわれわれみたいに親しい間柄だと

「見る」「見られる」は全然問題ないんだけど、親しくない人や知らない人がいるところだと、やっぱり外装が欲しくなる。そこで出てくるのがアバターだろうねって話なんです。アバターがあったら便利ですよね。自分が生《なま》の顔を出すよりは。

茂木　前も話したように、デジタルアバターとかクローンとかには基になるデータが必要なんだけど、それは偏《かたよ》ったデータだとうまく作れないらしいんです。長沼さんは意外といろいろなこと発信してますよね？

長沼　いや、ほとんどチョウザメか酒のことですよ。

茂木　そうか。じゃあ難しいかな。たとえば孔子についてはアバターを作りやすい。『論語』に書いてあるから。ニーチェも作れそうだな。

長沼　いいですね。登場してほしいな。

茂木　バーチャル・ニーチェとかバーチャル・ソクラテスとかね。サルトルとかもいいよね。

長沼　バーチャル・サルトルに相談に乗ってほしい。

茂木　出版社の人が言ってたけど、物故《ぶっこ》作家の作品は肖像写真がないと売れないんだそ

北極に立つ長沼氏（本人提供）

うです。太宰治《だざいおさむ》とか夏目漱石《そうせき》とか、やっぱりあの写真のイメージがありますよね。まだ物故してないけど、長沼さんも子々孫々のためにいい写真を撮っておいたほうがいいよ。

長沼　マイ・ベストショットをね。

茂木　伝統芸能の能には、その人の一番よかったときの姿を描くという思想があるんです。たとえば「姥捨《うばすて》」。深沢七郎の『楢《なら》山節考《やまぶしこう》』の世界ですね。年をとった人を山に捨てる。あれがお能になると、老婆が出てくるんだけど、その老婆が一番輝いていたときのことを描く。長沼さん、もちろんこれからもっと輝くと思うけど、今までの人生で一番輝いていた瞬間っていつですか？

長沼　北極の氷河を登り切ったとき。

茂木　すごいですね。

長沼　登り切って、汗かいてるから服を全部脱いで半裸になって、背中から湯気がもうもうと立つなか「おぉー」って叫んで。

茂木　それって夏ですか？

長沼　夏です。北極の夏ですから気温は零度くらいでしたけど、背中から湯気が立ってましたね。スペッツベルゲンという島です。

茂木　それは輝いていますね。いい情景です。何歳くらいのとき？

長沼　十年くらい前かな。茂木さんは？

茂木　これからかな。いや、やっぱり僕は蝶々《ちょうちょう》だな。過去を振り返っても、小、中学生の頃、網を持って蝶々を待ってたときが、一番命が輝いていた気がします。

人生と「遊び」

茂木 僕はエイジズム（年齢差別）には反対する立場なんだけど、最近は「老害」って言葉がよく使われるよね。でも、七十五歳の人も六十年前には十五歳だったときがあって、つまり十五歳と七十五歳は単に両者の時間軸がズレてるだけなんです。そういうことを想像できない人間が、気に食わない年長の相手を「老害」とか言うのはどうなんだと思います。僕は孔子を尊敬してるんだけど、孔子は〝歳《とし》を重ねるほど思考は深まる〟と信じていた。一日でも長く生きたほうが、より深く問題を見ることができますからね。

脳の前頭葉はティーンエージャーのときに成長して、二十五歳くらいでピークになって一応完成します。そのあと機能はフラットに落ちていく感じですけど、記憶や経験の蓄積っていうのはそうではない。僕がいつも挙げる例は葛飾北斎《かつしかほくさい》です。北斎が「神奈川沖浪裏《なみうら》」を描いたのは七十代で、現代の感覚で言えば九十歳くらいでしょう。だから、年齢を重ねるとダメになるというストーリーは思い込みにすぎないし、そういう考えにとらわれる必要はありません。長沼さんの黄金期もこれからですよ。

長沼　脳の細胞は二十歳くらいまでは増えて、あとは減っていく。これは大前提としてあります。ただ、個人差があるという点と、出生後も脳細胞が増える点で人間は例外なんです。霊長類では人間だけですからね。ちょっとおかしいんです、人間は。

茂木　動物行動学的には、人は〝遊ぶ〟時間でピーキング（調整）するんですけど、ピーキングと脳のシナプス結合の変化ってほぼ同じなんです。遊んでいる時間に、神経細胞が最もつなぎ変わる。だから、子どもは遊ぶのが仕事って言われるのは、本当にそのとおりなんです。何歳になっても遊んでる人っていますよね。いい意味で。その何歳になっても遊ぶっていうのが鍵《かぎ》だと思うんです。

長沼　そうですね。シナプスの結合っていうのは、年を経ても増え得るものですか？

茂木　生きてる人のシナプス結合の変化をリアルタイムで見る方法はないので、そこは確認できませんね。遊びって始まりと終わりが決まっているでしょう。野球でもルールがあるし、それをやるための特定の場所があるし。僕はピアノ全然弾《ひ》けないけど、電子ピアノで耳コピした曲を弾いてみるとか、まあ、研究も遊びだしね。

葛飾北斎「冨嶽三十六景・神奈川沖浪裏」
（東京国立博物館所蔵/ColBase）

長沼　たぶんね、僕の発想では、テイクオフ（離陸）して、巡航高度まで達するときの、この右肩上がりの部分が「遊び」だと思ってる。

茂木　それいいね。

長沼　巡航高度に達しちゃうと、あとはもうルーティーンになっちゃうじゃないですか。それだと、疲れたシナプスの神経回路をずっと反復するだけで、強化にはなるけれど、新しいシナプスはできない。今までできなかった何かに、緩《ゆる》やかでも挑戦していることが遊びなんです。野球にしても、まずはルールを覚えたり、体の動かし方を覚えたりね。

茂木　たとえば、還暦を過ぎてから新しい外国語の習得に挑戦するとかも遊びだよね。ビートルズは、ファンの期待をずっと裏切り続けたバンドだって言われているじゃないですか。つまり最初の「I Want To Hold Your Hand」とか、ああいったラブソングでいくのかなと思ったら、「Yesterday」がきて、それでいくのかなと思ったら「Sgt. Pepper's Lonely Hearts Club Band」とか「Hey Jude」とか。ずっと音楽性が変わっていきましたよね。今の長沼さんの定義で言えば、遊び続けたってことでしょう。その意味だと、麻雀《マージャン》とかパチンコは遊びじゃない。ルーティーンになっちゃってるからね。

長沼　そうですね。

茂木　夏目漱石も、作品のタイプが全部違いますよね。『吾輩《わがはい》は猫である』が好評を博したからといって『吾輩は犬である』とか『吾輩は猫である2』とか書かなかったから。漱石もずっと遊んでたんじゃないかな。あとはイーロン・マスクとか連続起業家と言われる人たち。常に新しいことをやっている。長沼さんが言った「テイクオフ」を楽しんでいるように見えます。

長沼　いいですね。

茂木　僕は、晩年の大林宣彦さん（映画監督）と仲良くさせてもらったんです。大林さんって最晩年になってもコンピュータグラフィックスとかを試したりしてて、ああいう人ってやっぱり年を取らないですよね。最後は病で亡くなられてしまったけど。逆に年齢的に若い人としゃべっていても、「オジサントーク」「オバサントーク」する人っているじゃないですか。説教を垂れたり、昔話をしたり。せっかく若いのに、残念な気持ちになりますね。

長沼　僕は昔話をせがまれたらしないでもないですけど、残念ながら昔のことは覚えていない。まあ、何かの名前が出てこないというのは最近増えたけど。

茂木　僕はもともと固有名詞にあまり興味がないので、若い頃から出てこなかったですね。映画とかでもイメージで捉えているので、俳優の名前とか覚えなかった。そもそも度忘れっていう現象は若いときからあるものですよ。

長沼　僕も度忘れは増えてますよ。ただ、忘れても必死になって自力で思い出そうとするけどね。固有名詞はもちろん、一般名詞も最近はよく忘れる。

茂木　僕は加齢にともなう何かを考える習慣がないですね。他人に対しても年齢とかよくわからない。養老孟司《ようろうたけし》さんが僕の二十五歳上だっていうのは覚えているから、ああ二十五年後はああなっているんだなっていつも思ってるけど、それは便利だから。イマヌエル・カント（ドイツの哲学者）くらい賢くて頭を使っていた人も、晩年は認知症になったというから、それはまたおもしろい問題なんですけどね。

長沼　認知症はしょうがないですよ、バイオロジーですから。

「する」じゃなく「なる」

茂木　僕は若い人がいたら逆取材するんです。「今、何に迷ってるの？」とか「ゲームは何がおもしろいの？」とか聞いてみる。そうすると勉強になるんですよ。この本を読んでいる人にはそれを強くお勧めします。若い人がいたら質問攻めしてみてください。

長沼　僕も聞くんだけどね。「今、世界で起きていることで何がおもしろい？」とかね。

茂木　でも、それは長沼さんのほうが詳しいでしょ。

長沼　そういうときもある。まあ、ゲームのことはやらないからわかんないけど。

茂木　前に「未来予測」の話をしたけど、『古事記』や『日本書紀』で一番多く使われている言葉が「なる」なんだそうです。「する」じゃなくて「なる」。自然にそうなってしまうという「なる」だね。計算したり意図《いと》してそうしたのではなく、そうした意図の及ばないところで物事がなっていく。やろうとしてなったのではなく、そうなっちゃった。日本人ってそういう感覚ありますよね。それを主体性がないとか無責任だとかも言われちゃうかもしれないけど、これはもう伝統的なものだからね。そして、科学的にはこの見方は正しい。「茂木さんはなぜ脳科学をやってるんですか」って聞かれても、そうなっちゃったってだけなんですよ。

長沼　結果論だよね。

茂木　「なんで長沼先生はチョウザメを研究してるんですか」って質問されても、「いや、そうなっちゃっただけで」としか答えようがないよね。

この前、久しぶりにリリー・フランキーさんに会って。俳優としてもすごく活躍されているので「すごいですね」って言ったの。ところがリリーさんは「いや、何も変わってないよ」って言うわけ。年に二カ月しか俳優やってないからって。僕はリリーさんが俳優になる前から知ってるんだけど、俳優やりたくてやってるというより、そうなっちゃってるんだよね。なんか不思議ですよね。長沼さんだって、広島大学に行く計画を立ててたわけじゃないでしょ?

長沼　全然ないです。

茂木　なっちゃうんだよね。

長沼　京都タワーのコンピュータ占いで「あなたは西へ行く」って出たことはあったけどね(笑)。

人生は複雑でわからないもの

茂木　僕だって、大学院のときにソニーのコンピュータサイエンス研究所に行くなんて思っていなかったな。よくわからないけど、たまたまそうなっちゃった。ある出版社の編集の人に聞いたんだけど、小林秀雄の文章の極意って〝わからないように書くこと〟らしいんですよ。これ、すごい話だと思うんだよね。今の学校で教えられている論理とか構文って「文章はわかる」という前提で組み立てられていますけど、小林秀雄の根本的な認識は「いや、文章っていうのはわからないんだ」ということなんです。それって人生についても同じで、何でも説明できると思ってる人がいるけど、本当の人生って「なんかよくわからないもの」なんじゃないか。わからないけど、今こうなっている。僕は小林秀雄派だな。

長沼　うん。わからないものですよ。まったくわからない。

茂木　僕、いつも思います。今この瞬間にも、生まれ出た命もあるだろうし、死にゆく人もいるんだろうって。そういう中で僕らは今この瞬間をこうして過ごしている。だから、人生って複雑だなあって思う。たとえば僕は長沼さんといると、すごく自由に感じるんだよね。やっぱり、あの人といたら自分は自由を感じられる——そういわれるような人になりたいなって思う。で、逆に人を不自由にする人っているじゃないですか。

長沼　僕はそういう人からは遠ざかるようにしています。

茂木　一緒にいると不自由になるというか、息が詰まる感じがする人っていますよね。そういう人にはなりたくないなって最近つくづく思う。お母さん方からもよく相談を受けるんですけど、「うちの子は勉強しないで……」とか、そういう話を聞いていると、子どもは大変だろうなって思っちゃう。

長沼　僕も「ちびっこ柔道」やってるから、同じような話は結構聞きますよ。

茂木　ああ、そうだったね。

長沼　どんなお母さんも言いますよ。「うちの子は勉強しない」って。でも、よくよく話を聞くと、案外、非常によい家庭だったりしますよ。もちろん、そうではない家庭もあるんだろうけど。まあ「ちびっこ柔道」に来るような家庭は、たいがい普通にいい家庭です。だから、お母さん方の言う「うちの子は勉強しない」はポジショントークなんです。

茂木　でも、うちの母親は一度もそういうことを言ってなかったと思うな。それで言うと、日本はこれからだんだん悪くなるとか、没落するとか、そういうことも言う必要ないよね。ポジショントークっぽい。

長沼　言う必要ないですね。よくわからないけど、何とかなるでしょうというのが一番普通だと思うんだけどね。

茂木　意外とこれから日本は黄金期を迎えるかもしれないしね。

長沼　僕はそんな予感がしていますよ。経済成長だって、これからどうなるかはわからないですよ。

高齢化社会と高等教育

茂木　どうやったら自由な生き方を保っていけるんでしょうね。自分は自由に生きているんだけれども、周りに迷惑をかけてるっていうこともあるじゃないですか。皆が自由に闊達《かったつ》に生き合えるようなコミュニティーをどうやったら作れるのかにすごく関心があるんです。

長沼　この国は、結構そうなってるんじゃないですか。

茂木　それは長沼さんの周りがなっているだけなんだよ（笑）。

長沼　そうかな。でも、たしかに大学も中・長期目標作ったり、個人評価が年々厳しくなったりしてるしな。

茂木　個人評価ってあるんですか？

長沼　ありますよ。項目が百以上あって、ウェブ入力した内容で自動的に計算されるんです。それで、「あなたのポイントは何点です」「全教員中、あなたは上から何パーセントです」と。

茂木　え？　本当に？

長沼　本当ですよ。下から三分の一か四分の一に入っちゃうと減給対象になる。

茂木　すごいですね、今の大学は。人生百年時代ということを考えても、大学の持続可能性を考えても、これからはシニアの人がもっと大学生になったほうがいいよね。

長沼　そう思います。学校経営の立場からしても、中高年が学生として増えることはいいことだろうしね。

茂木　あと、僕が推奨《すいしょう》しているのは、博士号を持っている人は、メディアでも「〇〇博士」って呼ぶべきだと思う。外国では博士号を持っている人が活躍してるでしょ。なぜかって言うと、プロジェクトマネジメントなんですよ。

長沼　と言うと？

茂木　僕はもう十人くらいに博士号を取らせたんだけど、研究計画を立てて、自分の時間やリソースをマネージするのって、やっぱり大変なんですよ。論文書くのも大変ですしね。たとえばある人が「時間の知覚」のテーマで博士号を取ったとする。そうすると世間では「時間の知覚」の専門家だと見なしがちなんだけど、それだけじゃなくて、その人はプロジェクトマネジメントができた人でもあるんですよ。博士号を取るというプロジェクトをマネージできた人は、他のこともできると思う。そういう意味では、僕は五十代、六十代になった人は博士号にチャレンジしてほしいなって思う。どうですか。

長沼　博士号を取るっていうのは、若い人に限らず何歳でもいいことだと思う。僕は多様性に重きを置くので、学生もいろいろな人がいたほうがいいと思っています。生物学の場合、生きものを育てるのが苦手だったりすると、生物学者としてどう研究を進めていけばいいのかという問題にぶつかります。そういうときはバイオインフォマティクス

（生命情報学）ですよ。つまり遺伝子の塩基配列《えんきはいれつ》、AGCTの四文字の文字列を扱う。これでも生命現象が語れますからね。生きものを触るウエットな実験をしなくていいから、そっちが得意ならそこに特化してもらう。逆に、インフォマティクスが苦手だけど生きもの大好きって人は、ウエットな実験をやってもらう。博士が十人いたら、それぞれ向いてる方向が全部違うし、やっていることも違います。それぞれの個性を生かして博士というレベルに達したら尊《とうと》いことだと思います。山が十個できたようなものだからね。一個の山を登りつめるより、山を十個作りたいと思う。

茂木　登る山は、たくさんあるからね。まだ誰もやってないことって、いっぱいあるんだよ。

長沼　そうなんですよ。いっぱいある。

茂木　やっぱり科学技術立国という意味においては、もうちょっと博士号を取る人が増えて、しかも活躍できるというのが望ましいですね。そういう日本になったらいいと思います。

長沼　博士号取って、研究を続けたい人にはスタートアップというシステムをもっと手厚くしてあげればいいし。企業に入って研究開発したければそれでもいいし。スタートアップ制度をもっと使えるようになるといいと思いますね。あとは奨学金の返還を全部免除するとかね。

茂木 やっぱり公益のためっていうか、いかに世の中の人に役立つことができるかっていうのが大事だよね。

長沼 でも、そこはわからないじゃないですか。

茂木 簡単にはわからないね。

長沼 何が世の中にとっていいかはわからない。ただ、この国はそういった博士号を持った人たちをキープしておけるだけの余力がある国なので、好きなように自由奔放《ほんぽう》にさせる手段はあると思うんですよ。その中から、千人に一人くらいでも飛び抜けた実績を出せる人が生まれるといいですよね。さっき話した「遊び」にも通じるけど、僕はもっと遊ばせる方向にお金を使っていいと思う。

茂木 大事だよね。大手広告代理店の人が言ってたんだけど、フジテレビはお台場に移る前の新宿の河田町にあったときが一番おもしろかったって。当時のフジテレビの一階に喫茶店があって、そこでみんな打ち合わせしてるんだけど、関係ない人もたくさん集まってきてウッドストック（一九六九年にアメリカで行われた大規模な野外コンサート）みたいな状態だったそうです。そこからたくさんの名物番組が生まれたんだよね。

大学でも、僕が物理学科にいたときの小柴昌俊《こしばまさとし》さんの研究室などは、それに近いような雰囲気があったと思います。いつもなんか知らないけど躁《そう》状態で、「なんでこの人たち、こんな楽しそうなんだろう」って思ってました。僕はちょっと離れた研究室だったんだけど、ちょうどあのカミオカンデを作ったころなんです。そうしたら、ああいうノーベル賞の成果が出てね。楽しそうに遊んでると成果が出る。長沼さんが言った「遊び＝離陸」説は正しいですね。一番大きな変化というか、イノベーションが起きるところにはそれがある。

長沼　まったくそのとおりです。

茂木　この前、ツイッターでスティーブ・ウォズニアック（米アップル社の共同設立者）が最初に作った「ＡＰＰＬＥ１」の画像が出回ってたんですけど、なんかトランクみたいなところにコードとか入れて、「ああ、ウォズニアック遊んでるな」と思った。「ＡＰＰ

LE1」は、要するに最初のパーソナルコンピュータなんですけど、売ることとか考えて作ったようには見えませんでしたね。そういうところから新しいものが出てくる。そう考えていくと、生命も遊んでいるうちに誕生しちゃったんじゃないかなって思う。分子が遊んでいるうちに何かできちゃったみたいな。

長沼　そこなんですよ。生命って非常に精巧な仕組みなので、そんなにポッと出てくるとは思えない一方で、おっしゃるとおり、やっぱりポッと生まれたのかもしれない。そんな気もしますね。

一般論として、われわれの体っていうのは父由来の精子と母由来の卵子が合体した受精卵の〝成れの果て〟です。「2N（父と母に由来する染色体のペア）」ですね。で、精子と卵子の合体でできた一個体の「2N」は、あくまでもゲノム（遺伝子の総体）を次世代に伝えるだけの運び屋であると思ってます。ゲノムからすると、ゲノムを次の世代に運んでくれたあとは、われわれの体は用済みでいらないということになる。ただ、人間の場合はいわゆる「おばあさん仮説」というものがあります。通常の生物は生殖年齢が終わると寿命が尽きちゃうんだけど、人間は生殖可能な年齢を過ぎてもそこからうんと長生きするでしょう。

茂木　それは、生殖可能な時期を過ぎても、その人が生きていたほうが、生殖を担保する若い人たちを助けられるから、人間には「おじいさん」「おばあさん」が存在するんだという話ですね。

長沼　そうです。僕はゲノムの立ち位置から見て、それだったらそれで、あり得る話だと思う。生きものというのは、基本的にゲノムを次の世代に残し伝えることに必死です。ただゲノムにすれば、そうは言っても、おじいさんやおばあさんはそんなに長くいなくてもいい。ある時期に来れば、もう役割を果たして必要なくなるという話です。僕は生物学者として、われわれは死すべき運命にあるということをよく理解している。他の動植物はそういうことを考える脳がないので考えていないでしょうけど、生きものというのはそういった運命を受け入れている存在だと思います。

第3章 宗教と科学について

心と「哺乳」

茂木　たとえば子どもから「心って何ですか」って聞かれたら、生物学者の長沼さんはどう答えますか。

長沼　まあ、質問主の子どもの知識にもよるんですが、理解できるようだったら、脳の仕組みの話からしますね。ニューロンという神経細胞があって、それはだいたい千個くらいのインプットがあって一個の出力になる。そういうノード（結節点）として考えるんです。まず、それが作るネットワークが脳であると。ニューロンとニューロンのつなぎはシナプスと言って、そこは電気作用が働くんだけども化学物質もあるから、そういう電気や化学物質などの総体で生じる作用が「心」なんですね。残念ながら生物学者はそこまでしか言えないです。それ以外のことはまったくわからない。

茂木　そうだよね。

長沼　ただ、心というものを高いレベルでの脳的な活動だとすると、たぶん記憶という部分が重要な要素なんですね。記憶に基づいて、いろいろな将来予測をすることは、人間以外の動物にもあるわけです。人間の場合、記憶の力やキャパシティーが大きくなっているのと、それに基づいた将来の予見能力が非常に高まっている。それが人間の特徴です。

あと、人間の場合は「虚構《きょこう》」を作りますね。将来を予見することと、虚構を作ることは似ているのかもしれない。この虚構性が、人間と他の動物とを大きく区別しているところだと思うんです。心の働きって、たぶんそこにかかわっているのかなという気が、僕はうっすらとしているわけです。

茂木　たとえば仲間の死を悼《いた》む感情とか、好きなものに対する愛情表現とかって、ある程度知能の高い動物には見られますよね。

長沼　そうですね。それは哺乳類《ほにゅうるい》に結構共通する特徴でもあるんです。哺乳類の定義は、まさしく「哺乳」なんですね。それは、カモノハシみたいに卵を産もうが、赤ちゃんを産もうが、共通性は「哺乳」なんです。

哺乳というのは、親の肌と子の肌が接触するわけです。普通の動物界においては、接触なんていうのはロクなことがないんですよ。ただ哺乳類の場合は、接触に報酬系というか快楽がともなうような脳の作りになっているんです。接触することや抱擁《ほうよう》すること、それが快楽であるというふうに哺乳類は仕向けられている。よく幸福ホルモンといわれるオキシトシンなんて、もともとは水分の調整役なんですよ。魚においては浸透圧の調節。周りが海水だったらどうするか、淡水だったらどうするかという水回り系。そして、進化して陸上に上がってくると排泄《はいせつ》系。あるいは発汗作用。母乳だって、その起源は汗のような液体から派生したと考えられていますから。

肌と肌が接触するという普通の動物だったら危険をともなう行為に、脳の快楽系統がくっついている。オキシトシンは、わが哺乳類にとっては「幸せホルモン」と呼ばれていますからね。そういうふうに脳内ホルモン系も進化してきている。しかも、哺乳類の場合は、オキシトシンは協調性も発達させるわけです。そういうことで、哺乳類の普遍的な共通点して「相手を思いやる」「協調性がある」「仲間の死を悼む」というものがあるんじゃないかと思うんです。

魚類とか爬虫類《はちゅうるい》にもオキシトシンはあるんだけど、さっき言ったように水分調整系のホルモンとして働くわけで、愛情系には進化していないんですよね。昔よく言われた話ですが、もし恐竜が滅びなかったら知的な恐竜に進化していたんじゃないかという説がありました。たしかに知的恐竜になったかもしれないけれど、僕の考えでは、恐竜は「哺乳」をしないので愛情深い知的生命にはならないんじゃないかと思うんです。やはり「哺乳」という行為に支えられた愛情感は、恐竜にはなかっただろうと思ってるんです。

言い添えると、人間の場合、母乳で育てるのが大事だという言説がありますけど、母乳で育てられようと粉ミルクみたいに母乳以外で育てられようと、基本的には変わりありません。赤ちゃんを抱っこして接触することが大切だと思います。

「一人称、二人称、三人称の死」

茂木　日本語の「心」って特殊な言葉で、われわれ学術的には「conscious（コンシャス）」と「mind（マインド）」の二つでしか考えないんです。コンシャスは意識ですね。そして計算するとか認識するとか、そうした見方をすることが多いのがマインドです。

たとえば代表的なものでは、アメリカの科学者マービン・ミンスキーが書いた『The Society of Mind』。日本語では『心の社会』と訳されていますけど、これは人工知能研究の先駆けの本なんです。この本ではマインドを使っています。ミンスキーはMIT（マサチューセッツ工科大学）の人ですね。

心が持っている情緒的かつ、身体的というか人間関係を反映したような言葉は、われわれは学術用語としては、基本的に使わないんです。だけど、日本語空間の中で、「心とは何か」って聞かれることが多い。そうすると、それは人と人とのあいだで生まれるものなんですね。あと「脳と心臓のどっちに心があるんですか」という質問もよくされるんですけど、さっき長沼さんが言ったように、学術的には意識は脳にあるに決まっています。なんか、心臓移植すると記憶も移るなんて話があるけど、学術的にはそれはないです。

ただ日本語の「心」、たとえば夏目漱石《そうせき》の『こころ』という小説で扱われている心というのは、日本人独特の感じ方というか捉え方であって、やっぱり割り切れる意識やマインドというものとはちょっと違うんです。そういう話を僕はいつもします。

あとは、「腹の虫がおさまらない」とか「腹に据えかねる」とかいった日本語表現もありますけど、これは前に話した「脳腸相関《のうちょうそうかん》」の話ですよね。あるいは、神経科学者のアントニオ・ダマシオが言ってる「ガッツ・フィーリング（内臓感覚）」みたいな身体感覚につながっていくかと思います。いずれにせよ、学術的な議論と日常感覚の議論って、ズレていて当然かまわないわけで、必ずしも学術的な議論だけが唯一のリアリティではないですよね。

長沼　心と感情の違いもよく聞かれますね。

茂木　どうなんですかね。日本語の感覚の心という概念が英語にはないのでね。感情は感情だし。なかなか説明するのが難しいよね。ただ、日本人の言う心には感情も含まれているんじゃないですかね。

養老孟司《ようろうたけし》さんがよく「一人称、二人称、三人称の死」ということを言います。一人称は自分。二人称はあなた。三人称は縁もゆかりもない人。そして、唯一の死は「二人称の死だ」と養老さんは言っているんですよね。自分の死はわからないでしょう。だから、自分に関係のある人が亡くなるっていうことが、唯一、自分にとって意味のある死なんだと。心って、そういう意味では人間関係の中にあるんじゃないでしょうか。とくに日本の場合は。

長沼 『サピエンス全史』を書いたユヴァル・ノア・ハラリが、結構その辺を深く考察してるんですよね。ハラリも感情についてはまさに「腹に据えかねる」とか「ガッツ・フィーリング」とかを大事にしていて、自分の腹を瞑想《めいそう》するわけです。瞑想で自分の身体の動きを知ろうとする。そうすると、自分の感情、たとえば怒りの感情はここから来てるんだなと、彼は体の内部の胃の動きとか腸の動きと自分の感情を結びつけようとする。それが心の研究の方法になり得ると彼は思っている。もちろん彼は脳科学者じゃないんだけど、その辺はすごくよくわかっている。まあ、仏教の観念観法みたいなんだけど、ユヴァル・ノア・ハラリ自身も仏教に傾倒していますからね。

それから「イマジネーション」という言葉。これは日本語ではしばしば「想像力」って訳されますけど、僕の個人的な感覚で言うと「思いやり」なんです。何を想像するかっていうと、相手の心の内側を慮《おもんぱか》る。この「思いやり」っていうのは、程度の差はあれ人間以外の動物にも見られるんです。人間に近い類人猿とかね。そういった動物たちには結構普遍的にあるものじゃないかと思います。

なぜ人間は宗教を持ったのか

茂木　人間はなぜ「宗教」を持ったんだと思う？

長沼　やっぱり進化論的な結果でしょうね。宗教もある意味で「虚構」なんですよ。そういった虚構を持った集団のほうが、まとまりやすいというのは一つある。また、一つのシンボリックな共有から派生して、ルールや掟《おきて》というものができてくる。あるいは、そこから逸脱《いつだつ》するものを見つけやすい。だから、まとまった集団として機能しやすくなる。そうした虚構を持っている集団のほうが、虚構を持っていない集団より、よりよく機能するんだと思います。

もちろん、最初の虚構が宗教だったかどうかはわからないけど、何かシンボリックなものがあって、それにストーリーが添えられる。神話みたいな物語がついてきて、みんなでそうした虚構を共有することで、代々語り継がれるものもあるでしょう。現代社会においては、宗教然《しか》り、あるいは国家や企業も然り。ほとんどが虚構ですよ。フィクション。現代社会は虚構の上に繁栄してるんじゃないかと思います。

茂木　僕は、宗教というのは「知の最前線」と関係してるって思っています。著名な進化生物学者のリチャード・ドーキンスは「神は妄想である」と書いていますが、彼が唱えている無神論の考え方とか、僕には最終的な答えだとは思えないんですよね。それは、あまりにも単純だからです。今、欧米とかでは無神論が隆盛しているわけですが、たとえば人間の倫理的なことなどは、長沼さんが言ったように進化論的に説明できます。「なぜ人を殺してはいけないのか」というのは、宗教から明示するんじゃなくて、われわれが進化の過程でそういう倫理観を身につけたんだって説明するのが主流なんですよね。

もともと僕も物理学者ですし、いわゆる「理神論」、「神はいったん、宇宙を作ったらもう介入しない」という考え方は理解できるんです。最初に宇宙を作ったのが神かどうかは別にしても、ともかく「神は介入しません、あとは自然法則に従って動いています」

というのが理神論です。でもそれって、別にドーキンスに言われるまでもなく、誰でもわかりますよねっていうのが僕の不満なんです。

たしかにドーキンスは偉い人ですよ。「ミーム」とか「利己的な遺伝子」とかいろいろな概念を出したりしてね。ちなみに彼が一番好きな自著は、どうやら『延長された表現型――自然淘汰《とうた》の単位としての遺伝子』（紀伊國屋書店、一九八七年）らしいです。でも、彼が言っていることは、僕からすると、ともかく〝足りない〟んですよね。もちろん、科学的な知見から見たら神の概念なんて妄想だというのは、子どもでも言える。アインシュタインが「『今』というのが、どうして特別な時間なのかがわからない」と言ったんですけど、そのとおりですよね。わからない。脳から意識やクオリアがどう生まれるのか、僕にはまだわからない。それを「説明できる」と言う科学者もいるんだけど、僕から見ればそれは知性が足りないか誠実さが足りないかであって、まったく説明できていないんですよ。

現時点で特定の宗教が答えを持っていると僕は思わないんですけど、探究の対象として宗教的な問いを立てるのは当然のことです。無神論者が言っていることって、ほとんど考慮するに値しないと僕は思ってるんです。彼らは宗教のどうしようもないところだけを非難する。たしかに、宗教の名のもとに対立や弾圧はありました。今だって狂信的な人はいる。でも、そうしたどうしようもないところだけを取り上げて、宗教なんか意味ないじゃないかと言うのは、要するに「ストローマン論法」ですよね。攻撃するための藁《わら》人形を作って（相手の言っていることを曲解して引用するなど）、「これは、こんなにダメだ」と攻撃するんですけど、僕はそれが最終的かつ知的な答えだとは思っていません。

僕はまだよくわかっていないんです。いかにこの世の中は成り立っているんだろうという真実について、まだ答えが出ていないというのが実感です。僕もすでにいい年ですけど、最大の知的失望は、ドーキンスとかああいう人たちが無神論で満足していることなんです。まあ、こんなことドーキンスに言えば怒られるんでしょうけどね。

人類の知の探究の旅はまだ終わっていないって僕は感じています。宗教について考える場合は、やっぱり今の科学の知識と矛盾しない形でどれくらい議論できるかだと思うんです。なかなか難しいことでしょうけれど、おもしろいことでもあると思います。

否定神学のおもしろさ

長沼　「宗教」という言葉で大きくひとくくりにされがちだけど、それぞれの歴史や内側を見ていくと、やっぱり本質的なものというか、自分の内面にちゃんと降りていく人たちもいるわけです。「なんで今の宗教は、権威とか形ばかりにこだわってるんだろう」って思う人たちも出てきて、宗教を改革していくような動きもある。そういう人たちが新しい宗派を作ると、それがまたいつか権威化・形式化されていく。すると、また改革が起きる。そういうダイナミズムがあるんです。「宗教」というものが持つ二つの面ですよね。それはあって当然だろうと僕は思います。

茂木　興味深いのは「否定神学」っていうのがあるんですよ。スピノザが典型なんですけど、「神は○○ではない」って否定するところから始まるんです。たとえば「神は体を持っていない」「神は人格を持っていない」「神は知性を持っていない」。この「知性を持っていない」というのは、知性というのは有限なものだからです。われわれもそうだけど、やはり考えることには、ある特定の時代の限界というものがありますよね。だから、神は知性というものを持った存在ではない。スピノザは『エチカ』の中で、そのように議論するわけです。

この「否定神学」には長い伝統があって、「神は〇〇ではない」ということを通して神の本質を語ろうとしているんですね。むしろ「神は〇〇である」って言い切ってしまうと、本質を捉えられないし外れてしまう。ドーキンスは、少なくとも彼の書いたものを読むかぎり、「否定神学」に対してさえきちんと検討した形跡がないんですよね。だから彼の宗教論は稚拙《ちせつ》な感じがする。でも欧米のスタンダードはそれなんです。

最近おもしろいなと思ったことなんですが、ドーキンスはオックスフォード・ユニオンで講演するんです。ドーキンスが例の調子で宗教を否定すると、学生のほうから「ドーキンスさん、それ言い過ぎなんじゃないですか。宗教を信じている人がみんな、あなたが言うようなバカじゃありませんよ」って反論しているんですよ。そう考えたら、今の時代にオックスフォードに行ってるような学生でも、素朴《そぼく》な宗教感情を持ってることがわかって、あれは結構おもしろかった。

長沼　科学と無神論ってすごく相性がいいんです。逆に科学と有神論というか宗教は、すごく相性が悪い。この五百年くらい、科学と宗教はうまく折り合いをつけられていないんですね。その一方で、この百年か二百年くらいは、科学は人間至上主義という意味での「ヒューマニティー」との結び付きを強くしています。つまり、人間の持てる能力とか可能性とか多様性とかは素晴らしいということを、科学者たちは好意をもって証明しようとしてきたんです。人間至上主義と科学は非常に相性がいいんです。科学界は今や、宗教にとって代わる〝虚構〟として人間至上主義を使っている。当面のあいだかもしれないけど、人間至上主義という虚構に対しては、ある意味、誰も反対できないですよね。

茂木　それは鋭い指摘だと思います。テンプルトン賞というのがあるんですよ。この賞は、無神論が全盛の時代において宗教的価値を肯定した人に贈られています。ノーベル賞よりも賞金が高い。二〇二一年は、チンパンジーの研究をしているジェーン・グドールがテンプルトン賞を受賞しました。さっき長沼さんが言ったように、たしかに今の世の中、人間中心主義が席捲《せっけん》しているような状況です。そうした中でチンパンジーの研究をしている人にテンプルトン賞が贈られたということは、何かそこに現代の迷妄を打ち破るヒントがあるんじゃないかと思うんです。人間中心主義をいかに破るかという。

長沼　もしかしたら、やがては人間を脇に置いたエコロジー的な、むしろ人間抜きの環境至上主義が新しい虚構として登場するかもしれないですね。

茂木　まあ、人間がいなくなれば地球環境にとってはいいからね。

長沼　人間を至上とするか、人間のいない環境を至上とするか。虚構のトップ争いではあるけれど、どちらにしてもおもしろい観点ですね。

東日本大震災からの十年余の、今の時代の特徴として僕が思うのは、「不連続性」です。震災について言えば、原発事故の前と後とでは、われわれの考え方が一変してしまった。「見えない放射線が怖い」「放射線どうするんだ」みたいなことが、まだ総括されていないので、僕がここで何かを語ることは難しいんですけど、放射能にまつわるさまざまなことは非常に不連続ですね。今度のコロナ禍《か》はもっとひどいです。コロナ禍もいずれは終息するんだけど、コロナ禍の前と後とでは世の中は一変しているに違いない。たしかに今までどおり電車も走るし、普通に映画も見られるようになるけど、人々の心の中というか心象風景は変わっていると思います。だって、今まで日常の必須事項だと思っていたことが急にダメになっちゃって、それでもなんとかなっちゃったじゃないですか。対面の会議とか出張とか、もう別にやらなくていいんじゃないという考えも広まってきています。

仏教が持つ普遍性

茂木　大衆レベルで宗教がどう捉えられているかという話をすると、一般の人が宗教に求めているものって、わりとはっきりしていると思う。それは「奇跡」と「救い」ですよね。僕は九州の出身なんですけど、親戚が天理教の教会をやってたんです。それで、家には毎月のように『陽気』っていう機関誌が送られてきていました。うちではなぜかその機関誌がトイレに置いてあって、それを読んでいると、入信の動機というのは旦那が浮気をやめないとか、難病になったとか、そういうのが多い。それが入信すると奇跡のようにすべてがうまくいって救われたと。雑な言い方になっているとは思うけど、一般論を言うと、日本において大衆レベルでは宗教はそのようなものだと認識されている。

長沼　さっき言ったハラリがはっきりと書いてますよ。「宗教の機能は苦しみをなくすことだ」と。僕もそう認識しています。僕なりの言い方をすれば、宗教の機能は「幸せになること」で、幸せであることは苦しみがないことだと思っています。ハラリは『サピエンス全史』でも、その続編でも、同じ趣旨のことを繰り返し述べています。また、彼は非常に仏教に傾倒している。あと、もう亡くなったけど、SFの巨匠だったアーサー・クラークも仏教に傾倒していました。

茂木　ずっとスリランカにいたもんね。

長沼　「宗教」と「仏教」を一緒にするとぼやけると思うんですよね。宗教の中でも仏教はある意味特殊だと思う。「宗教」は僕がさっき言ったように〝虚構〟ですよね。人々を束ねるための虚構としてのもの。じゃあ「仏教」は何かというと、シンボルというか、神聖なものを外側に置かない。基本的には自分の内部に置くんですよね。神聖なものを人間の心の本性に見る。それこそさっき心について話が出たわけだけど、仏教はまさに心の本性に神聖なものを見ようとするんです。

それから、前に話した類人猿の中で普遍的にみられる「思いやり」の話を、もっと追求しようという姿勢が、仏教にはある。したがって、そこには普遍性があるんです。キリスト教にしろイスラム教にしろ、仏教以外の宗教の神は異教徒に対しては厳しい面がありますよね。自分たちの神を信じるか信じないかをシビアに問いますから。でも仏教は人間の普遍的な部分に基づいているし、根ざしている。そういう意味ではこんなに普遍的な宗教はないと思っています。

茂木　そうですね。アーサー・クラークなんかは、「仏教には未来がある。人間を一つにまとめるには仏教しかない」って言っていますよね。長沼さんの指摘したところを、彼も未来への希望として評価してるのかもしれない。

欲望が苦しみをもたらす

茂木　仏教で興味深いのは、欲望に対する考え方ですよね。欲望から離脱するといっても欲望というのはキリがないじゃないですか。今は資本主義が肥大化した時代だしね。資本主義は別に否定されるものじゃないと思うけど、やっぱり僕の場合、起業家や経営者を見ていても、彼らを動かしているものは基本的に自分の欲望だと思うわけですよ。いろいろと美辞麗句《びじれいく》は並べているんだけど、結局は自分で作った会社を大きくして金をたくさん稼ぎたいって思っている。何百億円を費やして月に行こうかっていう人もいるんだから。

みんながそういう経営者になれるわけがないし、なったらおかしくなっちゃう。でも、今の学生とかと話してると、そういう価値観にとらわれている人が多いんですよね。どれだけ所有できるかという、それはキリがないゲームなんです。お釈迦《しゃか》様は王子として生まれたわけだから、生まれながらの贅沢《ぜいたく》を一度は極めた。そこを突き抜けたあとで、ああいう境地に達したってことなんじゃないかな。それは大きな意味があると僕は思う。

地球の気候変動の問題に関して言うと、化石燃料を使ってどれだけ贅沢ができるか、豊かな生活ができるかっていうゲームを人類はずっとやってきているわけです。でもそれって限界あるよね、無理だよねってなってきたのがまさに今で、そうしたときに仏教から学べることがあるんじゃないか。たしかに長沼さんが言ったように仏教には人間性への深い洞察がありますよね。それは他の宗教にはないかもしれない。お釈迦様があの時代にそこに達していたことがすごいことだと思う。

長沼　欲望ということで言うと、欲望を否定する必要も除去する必要もないんですよ。人間は誰でも自分の内側に欲望が発生するんだということを、ちゃんと見つめればいいんです。

欲望がなぜ厄介かというと、われわれにいろいろな苦しみをもたらすからなんですね。苦しみから単に逃れることが幸せであると、非常に単純な定義をする人がいますが、もしその延長線上に幸福があるのなら、苦しみの本質を見つめることはとても素晴らしいことだろうと思います。

じゃあ、苦しみとは何か。欲望から発生するものですよ。苦しみの元をちゃんとたどっていけば、欲望が根本にあるってわかる。じゃあ、欲望はなぜ生まれるのか。人類はそこをきちんと問えるような段階に来たんだと思います。

茂木 どうすれば、よりよい宗教的人間になれるかということの探究だよね。

「おもいやり」と「仏性」

長沼 まず、ドーキンス的に言えば、生きものの根本的な欲望は、次の世代に遺伝子を残すことですね。そのために自分が健康体であることが求められる。そして、よりよい配偶者を得るために、他の個体との競争に勝つこと。これらは生物学的にもはっきりしています。

ただ、ややこしいのは、われわれ類人猿には「思いやり」が普遍的にある。それは、仏教的に言えば「仏性」でしょう。そこが、われわれ類人猿と他の動物とのちょっと違うところです。単に勝てばいいとか、自分の遺伝子を残せればいいということではないんです。類人猿でさえ、傷ついた個体がいたら助けるという行動が見られます。みんなで助ける。あるいはボス猿が助ける。遺伝子を調べてみると、別に血縁関係がない。血縁がなくても、傷ついた仲間を助けようという行動が見られるわけです。つまり、われわれ科学者は「仏性」と呼ぶべきものが人間だけではなく類人猿にも具わっていることを知っているんです。

自分の生存に必要な最低限度を超えて、どんどん所有したがり、そのことで環境が破壊されたり、仲間が死んだりしたとしても自分さえ所有できればいいというのは、一万年前の農耕革命に由来する人間だけに見られる姿ですよね。

茂木　ミツバチなどは、一匹の女王蜂の遺伝子を残すために、あとの圧倒的多数の働きバチは、メスなんだけど子孫を残すという選択肢を捨てて集団に尽くすんですよね。

長沼　生物学的には「これが唯一の解」というものがないので、どんな形でもいいんですよ。その種が一つのまとまりとしてうまくやれるのならば。茂木さんもご存じの「囚人のジレンマ」っていうのがあるじゃないですか。個人が自らの利益のみを追求している限り、必ずしも全体の合理的な選択に結び付くわけではないというゲーム理論ですよね。まあ、どの戦略が一番いいのか答えはないんですよ。ミツバチの世界があれでうまくいっているとすれば、たぶん今のところはあれでいいんでしょう。いつか「あれは間違いでした」って答え合わせをする日が来るかもしれない。

この点は、さっき話した霊長類の「思いやり」も同じです。ひょっとしたら「思いやりは必要なかった。間違いでした」となるかもしれない。ただ、今のところ八百万年くらいはうまくいってる。「思いやり」って、なんとなくわれわれの中でも価値観として高く評価されていますよね。みんなで共有できる部分であり、もともと人間のＤＮＡに刻まれた普遍的な部分だからかもしれない。これは今後もっと注目されていくべきだし、使える部分だと思いますよ。宗教も、もっとここに着目していいと思う。

茂木　その「思いやり」っていうのは脳科学の教科書的に言えば、「心の理論（theory of mind)」というのがあって、「共感」を必ずしも必要条件としないんです。これは重要なところですね。世間一般では「思いやり」って「共感」というフィルターを前提に考えがちだと思うんですよ。たとえば、「この人とは共感できるから、この人のことを考えよう」といった感じで。共感できる相手に対して「思いやり」が発動されるという図式です。

でも脳科学における「心の理論」では、脳は仮に共感できない場合でも、相手の内面の状態を推察するんです。たとえば、いわゆるポーカーフェースですよね。心で泣いて顔で笑うとか、人間ってそういうことをしますよね。そのときに「あの人、楽しそうな顔してるけど、心の中では悲しいに違いない」というふうに隠された内面を推測する能力が人間にはあるんです。

これはいろいろな議論があるんですけど、こうした「心の理論」は今のところ人間固有のものだろうと考えられています。チンパンジーにもあるんじゃないかという説もあるけど、少なくとも発達したものとしては、どうも人間にしか備わっていないのではないかと。さらに肝心なのは、隠された内面を推測するというのは人間においても失敗することがままあるということです。共感できない人の心を推測する能力については、人間も決して長《た》けているわけではないということです。

なので、「思いやり」というと日本語ではちょっと情緒的な感じがするんですが、いわば想像力ですよね。たとえばビジネスの現場で、オッサンである僕が商品開発やサービス開発で「中学生の女の子に必要なものは何だろう」と考えるなら、それも「心の理論」なんです。僕は実際には中学生の女の子だった経験がないから、わかるはずがない。共感は当然できない。ヘタに共感しようとしても、相手から「ウザい」って言われるかもしれない。それでも、相手の立場になってものを考えることができるというのが、人間の非常に重要な働きだというふうに考えられていますよね。

長沼　そうですね。

脳にまつわる「バカの壁」

茂木　あとはやっぱり今の時代、グローバル化した世界においては、年齢やジェンダーなど文化的なバックグラウンドが異なる人が、それぞれ動き回っているわけです。だから、相手について「共感」はできないけれど推測はしているという能力は、ものすごく大事なものになっています。それは、幅広い意味での「教養」ということと深く関係してくると思っていて、人間とはどういうものかという洞察がないと、この能力に差が出てくるんじゃないか。そう意味でいうと「心の理論」っていうのは一生の課題ですよね。僕自身もいつも「この人はどういう気持ちなんだろう」って考えますし、自分にとっての課題だと思いますよ。自分と全然違う立場の人がいたときって難しいんですけど、大事なことです。

長沼 人間への洞察が浅いというか、男性と女性で脳が違うみたいなことを言う人、いまだにいますよね。

茂木 「ニューロセクシズム」っていう言葉があるくらい、男と女とで脳が違うって決めつけることはナンセンスです。「だから男はこうなんだ」って決めつけるのは、科学的な根拠はほとんどないというのが一般的な理解じゃないでしょうか。逆に日本みたいにジェンダーの平等が進んでいない社会ほど、自分たちがやっている差別に関して、脳科学的な根拠があると言われると正当化しやすいから受け入れられているんじゃないですか。実際には、言われているほど男女の差はありません。

もちろん、男女の差があるかのような言説を補強するデータを引っ張ってこようと思えばできるんです。たとえば女性のほうが発育は早いから、思春期のある年齢の男女を比較すれば、一見女性のほうがある特性を持っているようにも見えるんですけど、それは単に女性のほうが早く成熟しているだけだという話です。

あと「右脳」「左脳」という話も、単なる与太話《よたばなし》が流通しているだけです。長沼さんは基本的に共感してくれると思うけど、脳科学者はそういう「右脳」だ「左脳」だということにはまったく興味がない。養老孟司風に言うと、要するに日本の世間にある〝バカの壁〟ですよね。そういうことを脳科学者に聞けば済むという〝バカの壁〟が、残念ながら日本の世の中にはある。

ついでに言ってしまうと、「文系が得意な脳」「理系が得意な脳」なんていうのも、もう最低レベルの話ですよね。そもそも、文系と理系っていう区分けは日本にしかないですから。なんなんでしょうかね、日本の科学リテラシーの低さというか……。

長沼　「文系」「理系」ねぇ……。

茂木　語っている本人もわかっていないのかもしれない。そういう言説はまったく相手にする意味がないですよ。

長沼　たとえば数学や算数と、国語とは勉強の仕方が違いますよね。算数っていうのは完全に段階式で、一段一段積み上げていく。途中でつまずいたら、そこから先に行けないんだけど、授業はどんどん先に進んでいく。国語だったらつまずいても、いつでも挽回できるんです。社会に出てからでもね。そこがたしかに理系的・文系的ではあるんだけど、それはむしろ教え方の課題ですよね。子どもの持っている能力のレッテル貼りにしてはいけない。

茂木　よく言われるのは、システムエンジニアなんかは、いわゆる大学の文系の学生のほうが意外とうまくできるという話です。あと、数学者自身は自分たちを理系だとは思っていない。

人間だけが持つ「白眼」

長沼　さっきの「共感」の話に戻るとですね、前も話したように「思いやり」というのは、僕は強いて英語に訳せば「イマジネーション」だと思うんです。じゃあ、イマジネーションが何をイマジンしているのかと言うと、相手の胸の内をイマジンする。そのときの始まりは「哺乳」です。

お母さんが赤ちゃんの目を見る。赤ちゃんも見返す。このアイコンタクトがとても大事で、チンパンジーも赤ちゃんのときは見返すんですよ。ところが、ある程度成長してしまうと、もう目を見なくなる。だから、チンパンジーの脳の成長はすぐに止まっちゃうんじゃないか。神経細胞の増加率が止まると、相手の目を見なくなる。子どもがお母さんの目を見ていても、お母さんはそっぽ向いてるんです。

茂木　最近の人間もスマホばっかり見ているから、アイコンタクトに乏《とぼ》しいですね。

長沼　アイコンタクトって結構大事ですよ。「相手は何を考えているのかな」って考え

人間でいう白眼の部分は、チンパンジーでは黒褐色になっている
（時事通信フォト）

るじゃないですか。それで「あなたがこんなことを考えてるって私が知ってるってことを、あなたは知ってるよね？」というふうに、何重にも反射し始めるんです。「僕は今笑っているけれども、心の中で泣いているることを、あなたが知っている、ということを私は知ってるよ」とかね。こんなふうに反射が重なっていくのが人間の心のおもしろさ。チンパンジーとはちょっと違うところだよね。

人間の心の深さというのも、そこから育《はぐく》まれているに違いないですよ。一つには、人間の目には、「白眼」という部分がありますね。白眼があるおかげで「黒眼」がどこを見ているかをポインティングできるんですよ。チンパンジーは目が全部が黒眼なので、誰がどこを見ているのかわからない。人間は誰がどこを見ているのかわかるので、そういうところも人間固有の心の発達に寄与していると思う。

じゃあなんで人間にだけ白眼ができたのかは、よくわからない。白眼を持った集団が、よりよく生き延びたからかもしれない。偶然かもしれない。人間のポピュレーションって、いろいろな自然災害などによって、すごく縮小した瞬間が何回かあるんです。そうしたときに、たまたま白眼を持った集団が生き延びたのかもしれませんし、あるいは進化論的に白眼を持ったほうが有利だったのかもしれない。そこはわかりません。でも、互いの目を見つめ合うというのが一つのきっかけになって、相手の心の内側を慮るということが始まったことは間違いないと思うんですよね。

意識とクオリア

長沼　茂木さんの研究テーマは「クオリア」ですよね。その研究をしている人はどれくらいいるんですか?

茂木　いわゆる「意識」の科学を研究している人にとって「クオリア」は中心的なテーマなので、それは世界に何千人といるんじゃないですか。

長沼　その研究はどこまで進んでいるんですか。

茂木　何も進んでいない。難しいんです。一九九〇年代にブームがあったんですよ。背景にはいろいろな状況があったんだけど、一つ大きかったのは、二重らせん構造を発見したフランシス・クリックが、クリストフ・コッホと一連の論文を『ネイチャー』誌に書いたこと。これがきっかけの一つになって、意識の研究が盛り上がったんです。

同時期に先にも出たデイビッド・チャンバーズが「クオリアはハード・プロブレムだ」と言った。そのあたりが一九九〇年代で、世界的にも研究組織が広がったりして、「意識」

の科学がブームになったんです。

僕が理化学研究所に入ったのが、一九九二年。そして、九三年二月に「クオリア」への覚醒《かくせい》がありました。電車に乗っていて、「ガタンゴトンっていう音がクオリアに聞こえている！」って気づいたんです。それからずーっとクオリアのことを考えていて、九七年に『脳とクオリア』という本を出しました。今この英語版を自分で用意しているところです。ともあれ、一九九〇年代のブーム以降、クオリアについて、本質的な進歩は何もないんじゃないでしょうか。だけど、しかたがない。難しいことだから。

長沼　なるほど。難しいよね。

茂木　意識と感情の違いで言うと、通常の整理では、感情は「エモーション（emotion）」です。エモーションに無意識のところまで含めたら日本語では「情動」って訳されたりします。研究者は日本語では考えていないですが。一方で、意識の中で感じられている「感情」は、「フィーリング（feeling）」が使われることが多いです。意識の中で明らかに感じられる「ある気持ち」が「フィーリング」。それはクオリアの一種だろうと考えられています。

長沼　それは人間特有の現象ですか。

茂木　それはさっき長沼さんが言ったように、恐らく意識というのは連続性という生物学的な現象なんです。一部の研究者は「言語がないと意識がない」という極論を主張していますけど、それは生物の進化の連続性に対してあり得ないことだと思うので、おそらく生物にはかなり広い範囲に意識とクオリアが分布しているんだろうと考えるのが合理的だと思うんです。

コリン・マッギンという哲学者が「認知的閉鎖（cognitive closure）」っていう議論をしています。この議論は、「人間には意識の問題は原理的に解けない」という主張なので、ちょっと敗北主義的な気がするんですね。たしかにコンピュータに自分のことがわかるのかという問いと同様に、人間も脳を使って一生懸命に考えているんだけど、脳が意識を生み出している以上、自分が生み出している意識について脳がいくら考えてもちょっとそれは無理なんじゃないかという話です。

意識について、現時点では、言われるべきことは出尽くしている感があります。ただし、意識の科学において非常に厳しいなと思う点もあって、デタラメを言っている人も、ずいぶんいるんです。「意識の科学とはこういうものです」といって答えにもなっていないようなことを言ってしまっている。だから、意識の科学に興味がある人は気をつけないといけない。中途半端なところで終わっている論文も多いので。

意識に関する研究会は二つあります。「ＡＳＳＣ（Association for the Scientific Study of Consciousness／国際意識科学会）」と、アリゾナ大学意識研究センターが主催している「ツーソン会議（Tucson conference）」です。そこに行くと、まともな人はある種のコンセンサスをもってやっていることがわかります。でもそこに行っていない人もたくさんいるんです。だから、いろいろな人が意識について書いてはいるけれど、気をつけないといけないですね。

以前に論文でも書いたことあるんですけど、読者のためにあえて単純に言うと、意識についてメタ認知を持つことって意外と難しいんですよ。「赤い色が赤の色の感じ」って言われてわからない人はメタ認知ができていないので、クオリアの定義をいくら説明しても伝わらない。僕自身も一九九三年二月に電車の中でガタンゴトンという音がクオリアに聞こえているということに気づくまでは、これがわからなかったんです。

経験値×感性

長沼　おそらく、感性というのは、やはり五感に由来しているでしょうね。どこそこが痛いことによって、「なんだこの痛みは！」といった怒りや苦しみが発生する。あるいは、どこかに快感を覚えて「心地よいな」という気持ちになる。つまり五感と感性は結びついているんです。五感こそが感性の根源にある。その感性というものが、意識の上では「苦しみ」「怒り」「喜び」といった感情というものになるんだろうと思うんです。

そういうことで言うと、僕は脳のことはよくわからないけれど、自分の言葉では「表層意識」というのを使っているんです。人にはあんまり言わないけどね。脳の表層で考えたことが、自分の意識として自分できちんと捕まえられる。脳の働きの中でね。たぶん、僕が捕まえられない深い部分でも、脳は絶対動いているじゃないですか。それは単に体を維持するためという以上に、何かすごいことを考えているかもしれない。僕が捕まえられない深いところで考えられたことが、何かをきっかけにふわーっと表層に浮かんできて、それを僕が捕まえる。すると「おお、こんなアイデアがあったのか！」って自分で思ったりするんですよ。ひらめきとかね。そういうものを僕は自分の内部で「表層意識」という言葉で使っているんだけど、この考え方って脳科学的にどうですか？

茂木　とてもおもしろいですよ。

長沼　そんなことが背景にありながら、ちょっとさっきのハラリの話に戻りますね。ハラリって瞑想《めいそう》という行為が大好きで、今でも一日に二時間やっているんです。瞑想がなければ『サピエンス全史』は書けなかっただろうとも言ってる。彼が言うには、まさに茂木さんが言ったのと一緒で、まず経験値が人間には絶対に大事だと。そしてハラリは「経験値×感性＝意識」だと言ってるんです。その「感性」は、僕が言ったような感情に根ざしているとか低レベルのものじゃなくて、クオリアに相当するような感性だと思うんです。まさに何かの音を聞いてハッとするような。

でも、そのハッと気づくためには経験値が必要なんです。だから「経験値×感性」が「意識」なんだと。このハラリの言ってることが僕は結構気に入っています。だから経験値を増やすことを学生にも推奨《すいしょう》しているし、同時に今風の言い方で言うと「感度を上げろ」

ということも学生には言っている。それが意識的になることだとハラリは言っているし、僕もそれを受け入れていますね。

茂木　やっぱりクオリア論で一番大事なのは「日常」なんですよね。だから、瞑想する人にとっては瞑想しているときも大事なんだけど、そのあとの日常も大事なんです。おそらくそれは、瞑想だけでなくほかの宗教的修行でもそうなんだと思うんです。意識やクオリアも、日常の何げない時間に気づきがある。そういう感覚を持てるかどうか。そこが鍵なんでしょうね。

僕はクオリアの気づきが一九九一年だったんだけど、いつぐらいだったか、志向性(Intentionality)という概念に気づいたことがありました。これはフランツ・ブレンターノという哲学者が大事にしていた概念なんですけど、志向性という言葉の字面《じづら》をいくら眺めてもわからない。あるとき、自分の心が何かに向けられているっていう感覚がたしかにあると気づいたのが、僕自身にとっても大きい意味がありました。

それで、少しずつ自分の意識状態についての内的洞察が深まっていく。一度深まっていくと、もう戻らないんです。「そうか。すべてそういうふうに成り立っているんだ」

って気づいて、日常がそういうふうに見えてくる。ここが大きなポイントなんですね。
こういうことって、じつは古代からいろんな人が同じようなことを言ってる。言ってるんだけど、自分で気づくまではわからない。おそらくどんな真理も、そういうことなんだと思うんです。師匠が言ってるんだけど、わからないうちはわからない。「何を言ってるんだろう?」と思う。でも、わかってしまうとわかるんですよ。これは理屈じゃないので、難しいですね。それが、長沼さんが言った「経験値×感性」ということなんだろうと思う。

「音」の持つ特別な力

長沼 茂木さんは電車に乗っていてガタンゴトンという音を聞いていてクオリアへの覚醒があったっておっしゃったけど、音っていうのは五感の中でも特別なものですよね。

茂木 不意打ちだからかな。あと、脳の仕組みとしては、記憶の中枢に近いところに音を情報処理する場所があるんです。そして音の種類によっては、扁桃体《へんとうたい》など感情をつかさどる部位に直接行く。たとえば、赤ちゃんが泣いていると、その子の親だけじゃなく、周りの大人たちもいたたまれない感情になるじゃないですか。視覚だとそこまでいきなりいかない。だから音には直接性があるんじゃないでしょうか。

それと、人間の感覚として最初に認識するものも、音ですよね。お母さんの胎内にいて、まだ視覚も嗅覚も触覚もない時期から、お母さんの心音とか、外の音は聞いている。そして、死ぬ時に最後まで残っているのも聴覚だといわれています。そのあたりも関係していそうですね。

さっき、ハラリが瞑想を毎日してるって話があったけど、創価学会などの唱題行も、「音」ですよね。静かに瞑想するのではなく、音を介して自身の内面に変化を起こしていくのかもしれない。英語で言うと「chant」です。いい英語ですよね。

長沼　危険を知らせるとか、察知するという点でも、音は有効ですね。視覚だと、相手が目の前まで来て、それを目で確認して、「これは何だ?」となるわけだけど、音は瞬時に身構えられるから。あるいは暗闇でも、音がすれば何かあったことがわかる。そういう意味では、危険を知らせる一番手っ取り早いシグナルは音で、生きものはこれに対応してきたんです。さっき茂木さんがおっしゃった脳の中でも深いところに音が入ってくるというのは、そういうことだろうと思います。危険察知だけじゃなくて、クジラなどのようにコミュニケーションに音を使っている生きものもいます。餌《えさ》の情報共有とか求愛などが目的といわれています。

新しい〝虚構〟が必要

長沼　ところで、科学の未来を考えてみると、まず人間に特化した話をするなら、バイオテクノロジーが確実に進みますよね。一方でコンピュータの計算能力もまちがいなく向上していくでしょう。それから、人間に関して個々人のビッグデータが蓄積されていく。「僕」に関するありとあらゆる数値が取れてくる。それらが組み合わさると、「僕」という人間をハッキングできるようになるかもしれない。脳さえも、です。

なぜなら脳も単独で動いているわけではなく、脳腸相関をはじめとして、体の他の部分と相関する。だから、科学が進化して「僕」をハッキングするような時代が来る前に、最後の未知の領域である「心」の働きというものが、きちんとわかるようにしておかないといけないと思ってるんです。そして、そのときには、僕は自分の心の内側を大事に見つめる宗教として、仏教は頼りになると考えています。心の内側を見つめる方法って、まだ科学にはあまりないんです。脳を調べるには「ファンクショナルＭＲＩ（磁気共鳴機能画像法）」という方法があるんですけれども、それを見たところで「心の動き」をつかめたとは言い切れません。その点で仏教には長い間で培《つちか》ってきた智慧《ちえ》がある。

今後の人類が生き延びるために、これまでは科学が宗教にとって代わる〝虚構〟を作ってきたんだけど、これからは科学と宗教が手を携えて、よりましな〝虚構〟を作っていってほしい。これまで宗教と科学は折り合いが悪かったけど、科学ってある意味では方法論を大事にする面があって、たとえば方法論からでいいから宗教と手を携えていったらいいと思うんです。どうせ虚構を作るならば、科学者としてはそうした新しい〝虚構〟を作りたいですね。

今、方法論という言い方をあえてしましたが、「入り口」としてということです。科学と宗教にはいろいろな連携のしかたがあるだろうと思うんですけど、その「入り口」というか「とっかかり」として方法論という考え方がわかりやすいんじゃないかなと思うんです。

茂木 すごく大事な話だなと思います。まあ、科学と宗教では虚構の立て方が異なるわけですけど。

長沼 おっしゃるとおりです。宗教の虚構にもいろいろある。たとえば「この世界は神様がお作りになった」「この出来事は神様がお決めになった」といったフィクションを与える宗教もあれば、「私とあなたが出会ったのは偶然ではない」というフィクションを与える宗教もあります。フィクションというのは、つまり実証のしようがない物語ということです。そして、僕の考えでは、宗教と言ってもいろいろですが、仏教には人間の未来を開く可能性があるのではないかと思います。仏教以外の宗教に見られるのは、ちょっと言葉を極めた言い方になりますが、ある種の「偏狭《へんきょう》」だと思う。その点で仏教は幅が広い。普遍性を持っているし、幅広くいろいろな人を受け止めて、受け入れられる。歴史学者のアーノルド・トインビーが仏教に期待したというのも、そういうことなんでしょう。

茂木　科学について言えば、コミュニティー作りの高度化に資する科学が出てほしいし、出るべきだと思っています。なんで人間にいろいろな不幸があるのかというと、それぞれの人がそれぞれの能力や個性に応じた働き方や生き方、支え合い方ができないからだと思うんですね。

僕は、今の受験戦争なんかには極めて批判的なんです。たとえば長沼さんみたいに賢くて能力のある人がいたとするじゃないですか。その能力を何のために使うかって言ったら、みんなの利益のために使うべきなんです。今の世の中は、それぞれのご家庭が自分の子どもをいい学校に入れたいというので、受験勉強をさせて、塾とか予備校とかに年間で百万円とか払って、「赤本」を読ませている。それで、一つの産業が生まれているわけですよね。だけど、見方を変えて、そのお金が「子ども食堂」とか、恵まれない環境の子どもたちを支え合うような方向とかに使われると、全然違う世の中のあり方が出てくると僕は思ってるんです。まあ、受験勉強とかは小さな例ですけどね。

何が言いたいかというと、要するに今の時代って競争じゃないですか。いかにすればわが子がよりよい学校に行けるか、よりよい就職ができるかという競争ばかりで、それを自由競争とか言って肯定している。でも僕はそこに答えはないだろうって思っています。

どういう世の中の作り方をすれば、人々が一番個性を引き出せて支え合えるんだろうということに、僕は関心がある。僕の一番のヒーローであるアインシュタインは、妻のミレヴァがいなければ一九〇五年の四つの論文（「特殊相対性理論」についての論文など）を書けていなかっただろうと思うんです。じつはミレヴァのほうが、計算が得意で、アインシュタインは天才だけど、できないことも多かった。それでミレヴァが検算や清書をやっている。彼女がいなければアインシュタインという天才は世に出てこなかったんです。今の基準で言えば、あの論文はミレヴァとアインシュタインの連名で出されなければならなかったんだけど、当時は男尊女卑《だんそんじょひ》があたりまえで、そこまで配慮されていなかった。だから相対性理論の論文はアルバート・アインシュタインの単名で出しています。

長沼　そうですね。

アインシュタイン（右）と最初の妻ミレヴァ・マリッチ
（JT Vintage/Glasshouse via ZUMA Wire/共同通信イメージズ）

茂木　そう考えていくと、誰かが自分の努力でいい大学の合格を勝ち得たと思っていても、じつはそれはご家庭の支援があったわけだし、もっと広く言えば、社会全体があなたのことを支えてるからだと言えると思うんです。これは、マイケル・サンデルも指摘してるメリトクラシー（能力主義・功績主義）の問題です。努力した人はそれなりの報酬を得るべきだという社会の考え方は、本当に正しいのか、ということです。

僕は、これからの科学の最大のチャレンジは、人類における「正義」と言うか、みんなが平等に支え合えるような世の中をいかに作るかだと思うんです。ひょっとしたらＡＩとかＩＴとかネットワークとかもそこに関係してくるかもしれないし、脳科学も貢献できることがたくさんあると思っています。

長沼　よくわかります。

人間の幸福のための宗教

茂木　宗教に関して言うと、僕や長沼さんのようなインテリは、やっぱり基本的にダメなんですよ。いや、長沼さんはわからないけど、僕みたいなタイプは信仰というものが理解できないいんだと思う。じつは僕の友人の中でも創価学会に入会した人が何人かいるんです。見ていると、それぞれの入会動機というか、信仰をしようと決めた動機は、何らかの「苦」に直面してのことです。そういう出来事が信仰への転機になっている。驚くべきことは、やっぱり信仰を始めた彼らに変化が起きて、気持ちが安定してくるというか、なんか余裕ができるように見える。そういう姿を見ていると、なるほどこの人にとっては救いになっているんだなと実感するわけです。

僕や長沼さんのようなインテリの役割っていうのは、今の最高水準の科学的知見に照らして「この信仰のストーリーには変なところがないですよ」というふうに証明していくことだと思うんです。まともな宗教、健全な宗教に対して、そういう役割を果たすことが科学者の役割だと思う。僕がドーキンスに批判的なのは、そういう意味においてです。論じるに値しないようなことを取り上げて、宗教そのものの価値を全否定するというのは、違うと思う。

リッキー・ジャーヴェイスっていうイギリスのコメディアンがいるんですね。僕はすごく好きなんです。彼は無神論者で、それこそドーキンスなんかと「今までのキリスト教の教義はかなりイタいよね」って話してるくらいの無神論者です。

Netflixで彼の「アフターライフ3」という最新のコメディ・シリーズを見たんですが、そこにこんなシーンがあるんです。小児がんの子どもをお見舞いするシーンなんですが、彼は小児がんの子どもに「死んだら天国ってあるのかな」って聞かれるんですよ。すると、彼自身は無神論者なのに「それはあるよ。いい子どもたちだけが行ける天国があるんだよ」って言ってあげるシーンがある。ここにも、宗教の一つの役割があるというか、それを語る人間の賢さがあると思うんですね。

以前、禅宗の僧侶である南直哉《みなみじきさい》さんとお話したことがあって、仏教の「無記」ということを話してくれました。無記というのは、お釈迦様がある事柄については回答を避けたという話です。死後の魂はどうなるか、霊魂はあるかないかみたいな話にお釈迦様は直接的な回答をしなかった。「死んだあと、どうなるのか」と質問してきた男に対して、お釈迦様は「あなたは目の前に毒矢で射られて苦しんでいる人がいるときに、この矢はどの方角から飛んできたのかとか、この毒は何の毒なのかとかと聞くのか。そんなことより、この人を助けることの方が先決だろう」って諭《さと》すわけです。

で、大変な人生を経験してすごく苦労したおばあちゃんが、南さんに「私は死んだら極楽に行けますかね?」って尋ねてきた。そのときに「おばあちゃん、仏教には無記っていうのがあってね……」とは南さんは言わなかった。「おばあちゃん、行けるよ。おばあちゃんみたいに苦労した人が行けなくて誰が行くの」って言うんだと南さんが話していました。ある意味で宗教の役割は目の前で苦しんでいる人に対して、「大丈夫だよ」

って言うことなんだと思うんです。もちろん、大衆だってバカじゃないから、本当のところはこの宗教はどんな真理を説いているんだろうって見ていますよ。だから、これからの宗教の教学というか、体系を考える人は、今の最高レベルの知に照らしても揺るがないものと同時に、さっきの小児がんの子どもやおばあちゃんを納得させ安心させるような融通無碍《ゆうずうむげ》の迫力がないといけない。個人的にはそう思っています。なかなか難しいかもしれませんが。

長沼　茂木さんがおっしゃった「天国に行けるよ」って言ってあげることが必要だというところと、僕が心の働きを考えようと言うのは、じつは同じことなんです。どうしてわれわれ人間は最後に「天国に行けますよ」って言ってほしいのか。なぜそういう心の作用が生まれるのか。僕はそこを本気で科学したいんですよ。そこを早くやらないと、そのうちわれわれはAIとかにハッキングされかねない。だから、「どうしてわれわれは天国に行けると言われたいのか」ということを、人間の手で解明したいんです。

民主主義と権威主義

茂木　ところで、この対談を続けている最中に、ロシアによるウクライナ侵攻が起きてしまいました。この対談が本になって出版されている頃には戦闘がやんでいることを願うけど、大勢の命が失われて、本当に大変なことになってしまった。欧米や日本はロシアに対する経済制裁に踏み切ったし、戦争の影響は広範囲にわたるでしょう。チョウザメの研究をしている長沼さんに聞きたいのは、ロシアから水産物が入ってこなくなるとキャビアはどうなりますか？

長沼　キャビアはもともと希少《きしょう》なので規制対象になってたんです。だから、それほど困らないでしょう。キャビアを作っているのはロシアだけじゃないですから。それなりに入ってくるルートはある。

茂木　ロシアとしても、漁業は大事な収入源でしょうし、日本としても早く元に戻ってほしい。

長沼　そうですね。まあ、ウクライナ侵攻によってロシアがどうなるか、世界がどう変わるか。これは少し時間が経《た》たないと〝答え合わせ〟はできないでしょう。

茂木　長沼さんはロシアに行ったことはある？

長沼　はい。仲間もいっぱいいいますよ。

茂木　仲間がいっぱいいいる？

長沼　学問上のね。サイエンティストです。最近は僕が北極に行っていないのであまり交流はないんですけど、北極に行ってた時代は交流がありましたね。

茂木　冷戦が終わって三十年が経ちますが、ソ連からロシアになって、どこが変わって、どこは変わらないという印象ですか。

長沼　旧ソ連は、ある意味で独裁的な国家群でしたね。あの国家群が解体して、今度はロシア単体で新しい独裁国家だったんだなと思うんです。ウクライナも長いあいだ独裁だったわけです。一言で言うと、大きな独裁国家連邦がたくさんの小さい独裁国家とロシアという大独裁国家に分かれただけの話。ほとんどの国が実質的な意味で民主化できていない。それは民主主義というものが普遍的じゃないからでしょうね。独裁主義のほうが、はるかに普遍性があったんです。人間の歴史においては、民主主義は比較的新しいもので、まだ普遍化していないんです。そこは時間の問題だと思います。一方で国民性という話も出てくるかもしれないけれど、そこは時間をかけて見ていかないとわからない。

茂木　民主主義の国アメリカで、大統領選挙に不満を持つ前大統領支持者が連邦議会を襲撃する事件が起きたり、コロナ禍では独裁的な国のほうがうまく対処できるといわれたりしていますね。

長沼　コロナ対応でいうと、シンガポールなんかは非常にうまくやっていますよね。あとスウェーデンは、コロナ対応である意味壮大な社会実験をしました。つまり、「何もしない」という手を打った。民主主義発祥の地であるイギリスも途中からそんな感じになりましたね。東アジアでも、中国、韓国、日本、それぞれに今のところ結果を出しつつあると思うんですけど、これらがあとでどう評価されることになるのか。まだ僕たちは渦中にいるので答え合わせはできませんけど、個人的には日本式のコロナ対策は功を奏したと思っています。

コロナ問題の答え合わせにおいて、重要な観点はたった一つしかないんです。それは、「超過死亡数」です。特定の母集団の死亡数が一時的に増えて、本来想定されていた死亡数から超過した変動数ですね。パンデミックだから感染者数が多くなるのは当たり前です。メディアが感染者数ばかりを報じて騒ぎ立てるのは、どうなんだろうと思います。問われるべきは超過死亡数で、日本は他国に比べて非常に少ない。WHO（世界保健機関）が二〇二〇年と二一年にコロナで直接的・間接的に亡くなった人の数を発表しました。これは超過死亡から算出したんですけど、そうするとコロナによる死亡者数が、世界全体では三倍に増えた。その理由としてWHOは、医療が逼迫《ひっぱく》したことで他の病気などで亡くなる人が増えたんだろうと推測しています。

じゃあ、日本はどうだったのかというと、じつは超過死亡は、同じ期間において二万人くらいマイナスになっているんですよ。超過死亡がマイナスということは、例年より死者が減っているということ。これは、みんなが感染対策をした結果、インフルエンザ罹患《りかん》者が大幅に減ったり、社会活動が縮小して交通事故が減ったり、さまざまな要因があるでしょう。コロナ対策の初期において、日本は重症化したら死んでしまう可能性の高い人を徹底して守った。それと、日本はＥＣＭＯ《エクモ》（体外式膜型人工肺）の数が、人口当たりでは世界で一番多い。日本にはそうした命を守る態勢があったので、他の国だったら亡くなっていた人が、日本だから生き延びられたということがあったかもしれません。ただ、ＥＣＭＯなどを完備した態勢は地方には少なく、都市部に集中していたため、地域医療には危ういところがありました。そこは現場の人たちが融通を考えたので、医療崩壊を避けられたのだと思います。

平和は「心の平和」から

茂木　ロシアのウクライナ侵攻を目《ま》の当たりにして僕が一番思ったのは、平和は「心の平和」から始まるということです。プーチン大統領は今回の侵攻にいたるずっと前から「ウクライナはロシアの一部だ」といったことを言い、「ＮＡＴＯの東方拡大への苛立《いらだ》ち」も以前から隠していませんでした。それでも、話し合いによる問題解決への道もあると思うんですけど、彼は「武力行使も辞さない」とほのめかしていた。だから、心の中の思いというのはチャンスを得ると形になってしまうんですよね。

戦術核兵器の使用も非常に懸念《けねん》されていますよね。ロシアのディシプリン（規律）では、戦術核は使えることになってる。多くの人はまさか使わないだろうと思っているんですけど、プーチンさんの心の中では「使ってもいい」という思いもあるんじゃないか。仮にそうだとすると、それは何かのはずみで機会を得たら実行されるかもしれない。

たとえば恋愛で、誰かのことが好きで、いつか思いを伝えたいと考えている人がいるとしますよね。秘めた思いで終わるかもしれないけど、ある条件が揃《そろ》えば、声をかけたときにそのままデートに誘うかもしれない。僕が言いたいのは、人間って心に思っていることは形になる可能性があるっていうことです。そういう意味で、僕は外形的な平和は、心の中から生まれるんじゃないかって思っている。

これは、一人一人の人間も同じだと思うんです。僕自身は、意外と心の中は平和で、不満や嫉妬《しっと》心もなくて、自分で見ていても年を重ねるほど心が平和になっているんですよ。でも、もしも僕が「あいつが気に食わない」とか「自分は社会に認められていない」

とか、そういう負の感情を抱いていたとしますね。それは何かのときに行動に出てしまうかもしれない。これが、ウクライナ侵攻を受けて僕がまず思ったこと。

もう一つは、「心の平和」が大切だとしたときに、じゃあ何がプーチンさんの心の平和を乱したのかということです。根底にあるのは、ロシアのユーラシア主義にある西洋への劣等感なのではと考えています。それはもう、エカテリーナ二世（在位一七六二〜九六年）がサンクトペテルブルクにエルミタージュ美術館を造った頃からある、西洋への憧《あこが》れというものです。憧れつつ「自分たちは仲間ではない」という非常に屈折した感情をロシアが持っていた。そういうものを、そのままにしておくと、非常に厄介なことになる。だから、侵攻に関してどちらに非があるかは明らかだけど、ロシアやプーチン大統領の劣等感を掻《か》き立てるようなことは賢明ではない気がするんですよね。

同じようなことが、日本でも起きています。明治以降、日本は欧米に学ぼうとしていた一方で、強烈な劣等感も持っていた。その裏返しで太平洋戦争というような暴挙にいたったと思うんです。それは、あの真珠湾攻撃による日米開戦の一報が流れたときに、当時の知識人と思われていたような人までが、「爽快感」とか「偉大なる精神の高揚を感じた」とか言っているんです。そこには、鹿鳴館から始まって延々と続いてきた「心の不平和」があって、こういうものがきっかけを得て形になってしまったんです。

一方で、最近の若い人と話していて、よい傾向だなと思うのは、いい意味で、すごくフラットな感覚があることです。極端に言うと「ノーベル賞」と「コミケの人気コンテンツ」がほとんど等価値で捉えられている。ノーベル賞といっても、そういう有名な賞がありますねくらいにしか思ってない。芥川賞や直木賞も、それを〝権威〟だとありがたがっている人もたくさんいるわけだけど、若い世代になると、それは共有サイトで公開されているYOASOBIの「夜に駆ける」の原作小説なんかと評価が変わらないという感覚です。そういう若い世代って、意外と「心の平和」を持っているんだなと感じます。だから僕は平和というのは、やっぱり「心の平和」が大事で、一人一人がまずもって心の中に「平和」を持つべきだと思う。長沼先生の心は平和ですか。

長沼　僕は六十一歳になったんですけど、若い頃から「ナンバー2」主義で、二番でいいやというタイプなんです。楽だからね。

茂木　若い頃から、あんまり争うという概念はなかった?

長沼　そうですね。「ナンバー2」主義。

茂木　若者の中にも、ときどき競争ということばっかり考えていて、なんとか自分を偉く見せようとかいう人、いますね。でもそういう人って、「心の平和」はないと思うんです。

長沼　僕の学生にはいないかなあ……。

茂木　ニーチェが「ルサンチマン」と言ってるけど、ロシアはルサンチマンの国だよね。中国もアヘン戦争以来の屈辱の歴史という意識があって、一方で大国意識もある。そういう意味ではルサンチマンに陥《おちい》りやすい。ルサンチマンに陥ると、自分に対する批判に耳を貸さなくなる傾向がある。でも、そういう感情をまず理解してあげることが大事じゃないかな。

中国の政治体制の特殊性を言い立てても、ますますそれを刺激するだけですよ。むしろ認めてあげる。ここまで経済発展してきたことはすごいよねって。そういうふうに向き合っていったときに「心の平和」ができてくるんじゃないかな。

長沼　「心の平和」は大事だと思いますね、僕も。

核抑止の脆弱性

茂木 長沼さんは広島の大学にいるわけだけど、ウクライナ侵攻をきっかけに日本の一部にも「核共有論」や「核武装論」が出てきていることをどう分析していますか？ 「ウクライナが侵攻されたのは、ウクライナが核を手放したからだ」といった議論があるじゃないですか。

長沼 ウクライナが核を手放したのは、あんな厄介なものを維持できないからですよね。

茂木 もしも核兵器を持っていたらロシアに侵攻されなかったという意見についてはどう思う？

長沼 その可能性はあったと思います。

茂木 じゃあ日本はどうすればいいですか。核を持つべき？

長沼 日本はどうすればいいか。これはなかなか難しいですね。一般論としては、核兵器を持っていないほうが攻められやすいと思う。じゃあ、持てばいいのかというと、そうでもないと思う。これはジレンマですよね。日本の近隣には核兵器を持っている中国や北朝鮮、ロシアがあって、こうした国が日本を攻撃する可能性はゼロではない。すると、「日本も核兵器を持とうか」という議論は、当然出てくる。

茂木　持つ能力はあるんですか？

長沼　あるんでしょうかね？　難しいかな。

茂木　一つは日米安保条約との整合性が問われるし、持てばNPT（核拡散防止条約）から撤退するっていうことになると思う。政治的に可能かどうかとは別問題で、日本は国際社会で得ていた唯一の戦争被爆国として「平和国家」であるという信頼を失ってしまいますよね。

長沼　まあ、そのあたりは政治的なテクニックでどうにかなってしまう可能性はありますけど、個人的には賛成できませんね。アメリカと正式に契約して核兵器を貸してもらって、そのかわり厚木基地をもっと自由に使っていいですみたいな可能性はあるのかな。

茂木　でも、核兵器があっても運搬手段の問題もありますよね。爆撃機で持っていくわけにもいかないし。第一、どこかの基地に核兵器を置いたら、真っ先にそこが核攻撃の対象になるでしょうし。

長沼　核兵器は今や原子力潜水艦ですよ。

茂木　それを日本は持っていないという話です。

長沼　それもアメリカからレンタルさせてもらうということは、政治的テクニックとしては成り立ちます。

茂木　核兵器による安全保障というのは、ゲーム理論的に言うと「相互確証破壊」というもので、〝核による平和〟は保たれているじゃないですか。ウクライナ侵攻があってもＮＡＴＯとロシアが直接戦わないのはそのせいだと思うんです。各プレーヤーが合理的に行動することが前提だから。

長沼　ゲーム理論では答えは出ないですよね、正直なところ。

茂木　偶発的な核戦争の危機って、今まで三回くらいあるんですよね。一番最近あったのはノルウェーの事件で、オーロラの観測のためにノルウェーとアメリカが共同で観測ロケットを打ち上げたら、それをロシア側が核ミサイルの発射だと勘違いした。エリツィン大統領時代の話ですけど、ロシアは報復攻撃の直前まで行ったんですよね。今の核兵器って、何か計算違いが起きると、本当の核戦争になってしまうという脆弱性《ぜいじゃくせい》がある。

長沼　ゲーム理論というのは、次の瞬間はわからないというものです。どれだけ安定的に見えても、次の瞬間は安定かどうかわからない。

イデオロギーに陥らないために

茂木　だから、極めて憂慮《ゆうりょ》すべきなんです。僕がさっきから言ってる「心の平和」とか「平和を願う素朴な感情」というものは、おそらく国際政治のリアリティの中では通用しないでしょう。だから、「温かい気持ち」と「冷たい気持ち」の両方が重要だと思ってるんです。

たとえば原子力発電をやめましょうという議論。これもエネルギー安全保障という文脈からすれば、まったくナンセンスだと言われてしまう。ああいう原発の事故を目の当たりにして、元首相の小泉純一郎さんなどは「原子力発電はやめましょう」と言っています。僕は彼の「温かい気持ち」はよく理解できる。でも、一方で先の大戦がなぜ起きたかというと、究極はエネルギー問題ですよね。エネルギーの確保が止まってしまったら、この国は立ち行かなくなってしまう。

エネルギーを、いきなりすべてを再生可能エネルギーにしましょうというのは、やっぱり現実的ではないです。僕は、現時点では原子力発電も使わざるを得ないと思っている。あと、福島第一原子力発電所の処理水の海洋放出に関しては、科学的事実に基づいて問題ないということを、もっとはっきりと言うべきですよ。

もちろん、一般の人は専門的な知識を持っているわけではないから、トリチウムがゼロじゃないと言われただけで恐ろしいと思ってしまう。でも、トリチウムって自然界に普通に存在するものなんです。ゼロリスクを求めたくなる気持ちはわかるけど、それはあり得ない話です。前にアルコールの致死量の話をしましたよね。人間が何げなく摂取しているもので、じつはアルコールがもっとも致死量に近いという話。要は、量の問題なんです。水だって無害じゃない。水にだって、これ以上摂取したら死んでしまうという致死量がある。

放射線とか放射性物質とか聞くと、少しでも存在したら危険だとか思われがちだけど、それは量の問題で、何がどの程度を超えれば危険で、どの範囲内なら影響がないのかということは、科学者はわかっているわけです。風評被害の問題もあるけど、それを前提に海洋放出の是非を議論するんじゃなくて、「科学的に影響はないです」と断行するのが科学者の態度だと思うんだけど、長沼さんはどう思いますか。

長沼　ＡＬＰＳ（多核種除去設備）という放射性物質を除去する装置を通った水のトリチウム濃度は、韓国の原発が海洋放出している水のトリチウム濃度の三〇分の一ですからね。あと、科学者の立場から言うと、地球の上で太陽光発電をするのは無駄ですよ。効率を考えれば、宇宙空間での太陽光発電しかない。それをやるんだったら僕は大賛成。それが実現するまでの〝つなぎ〟として、地上でいろいろやろうということですね。原子力発電に関してはさまざまな議論があるけれど、今のペースでいけば、あと百年でウランは終わるんですよ。

茂木　ウランも化石燃料みたいなものだからね。

長沼　このことをみんな言わないけど、原発って未来永劫《えいごう》続きませんからね。あと百年から二百年で、石油も天然ガスもウランもみんな尽きてしまう。そしたら太陽光しかないじゃないですか。そうすると地球上での太陽光発電ではダメで、宇宙しかない。これは僕の一貫した意見です。

茂木　宇宙空間で作った電気を地球に送ることは可能なんですか？

長沼　基礎技術はあります。あとはそれをどうやって大量に安く送電できるか。それこそメガワット級で実現できるかという課題はあります。

ソーラーパネルと鷹匠

茂木　鷹匠《たかじょう》っていますよね。鷹を飼育・訓練する人たちです。かつて鷹狩りが行われていた時代にはたくさんいたんでしょうけど、最近、鷹匠が復活してきてるというんです。その理由がおもしろくて、ソーラーパネルを並べておくと、カラスが石を置くなど、いたずらをするらしい。それが結構な頻度であって困るので、カラスを追い払うために鷹を放つそうです。そういう大変さもあるみたいだし、今の太陽光発電も課題が多いことはたしかですね。そもそも太陽光発電を設置することで、森林破壊につながっているという問題もありますし。長沼さんが言うように、宇宙でやるべきでしょうね。効率がいいし、月面とかならカラスもいないし（笑）。

長沼　月面は遠すぎるんじゃないかな。地球周回軌道で、できれば地球のトワイライトゾーン（明暗境界線）をずっと回るんです。そうすると二十四時間ずっと太陽光を受けられる。

茂木　いいですね。電気自動車もそうなんですけど、やっぱり科学者の役割は「電気自動車、万々歳！」みたいに情緒的に流れがちな思想を、きちんと科学的エビデンスに基づいた正しい方向に導いていくことだと思う。

長沼　僕は、ガソリン車、大好きですよ。今後も乗ります。その理由の一つは、冬に、高速道路が大雪で車が何時間も立ち往生といったニュースがあるでしょう。ああいうとき、電気自動車だったら、バッテリーあがっちゃって電欠になったら大変ですよ。ガソリン車と違って路上給電が難しいですから、暖房がとれずに凍死するリスクがあります。

電気は基本的に生ものだから、貯《た》めることが難しいんですね。その点ガソリンは貯蔵が容易です。

茂木 バッテリーにも寿命があるし、リサイクルするのにコストがかかる。

長沼 電気量を十倍にしようと思うと、容量つまりサイズも十倍必要になる。

茂木 それを考えると、ハイブリッド車っていいソリューションなんですよ。そういうことを科学者は言い続けないといけないですね。

長沼 ハイブリッド車はいいと思いますよ。

茂木 科学者であるわれわれの役割って、ものごとはそんなに単純じゃないよって伝え続けることだと思うんです。たしかに地球温暖化は問題です。だけど、化石燃料をやめて全部電気にして、再生可能エネルギーにすればいいっていう考え方は、ある種のイデオロギーですよね。脳や生物の仕組みから見ても、ものごとはそんな単純じゃなくて、複雑さの中に真実がある。こういうことを言い続けるのが僕や長沼さんの役割だと思うんです。

そうすると、原子力発電もオプションとして持っておくというのは、政治家の判断としてあったほうがいい。政治家としての責任ですよ。純粋でナイーブなだけでは政治家は務まらなくて、どうやって目の前の国民の暮らしを守るのかというリアリティが求められる。本当に難しいですよね。核廃絶も同じで、核兵器はなくすべきなんだけど、いますぐに実現しようとしても、国際政治のリアリティの中では有効に機能しないように思います。

長沼　ウクライナ情勢でも、表面に出てくる政治的なプレーヤーだけに注目するんじゃなくて、裏側のプレーヤーと言うんですかね、そういうところも認識しておく必要はありますよね。ソ連が崩壊したあと起きたのは、簡単に言うと新興財閥の勃興《ぼっこう》でした。陰謀論めいて聞こえるかもしれないけど、グローバル経済というのは、そうした新興財閥から利益を得ているようなプレーヤーが動かしていますからね。

ランキングっておかしくない？

茂木　この前、著作家の山口周《しゅう》さんに「画期的な発想転換ですね」ってほめられたことがあるんですよ。「世界大学ランキング」ってあるじゃないですか。あれって英米の大学が常にランキング上位ですよね。僕はイギリスの大学に留学していたからわかるんだけど、英米の大学は外国の学生の数がすごく多いんです。それで、外国の留学生を呼び寄せるために「世界大学ランキング」っていうのがあって、それによるとわれわれは上位なんですって謳《うた》うほうがいいに決まってますよね。

だから、あの中で日本の大学のランキングを上げるというよりも、日本の大学が有利な指標を作ればいいと思っているんです。たとえばわれわれは日本語で学問ができますよね。「日本語に比べたら英語は得意じゃない」という人は多いけど、逆に考えれば、日本語でこれだけ高度なことを考えられる人は希少なんだから、それを指標にしちゃえばいい。自国の言語で、どれだけ高度な学問ができているかって指標を作れば、日本の大学は上位に入ってきますよ。ところで、広島大学は何が優れているんですか。

長沼　学生がインターンシップなどで受ける好感度評価、ですかね。

茂木　いいじゃないですか。それが多様性ということですよ。そもそもランキングっておかしくないですか？　だって生物の中にはランキングなんてないですよね。生物の世界で「土壌微生物ランキングベスト一〇」とかないでしょう。生物って、それぞれが違って、それぞれが生きているんだし、日本の大学は日本の環境の中で最適化されているに決まっているじゃないですか。ハーバード大学はアメリカの環境の中で最適化されているだけの話。上も下もないのにランキングで比較するっておかしくないですか。

僕は創価大学で講義をしたことがあって、すごく印象に残ったのが、あの大学には優秀な学生がいっぱいいたこと。そして、平和学に興味を持っている人がとても多かった。平和学というのは、システムとして平和をどう構築して維持するかということを考える学問ですよね。さっき僕が話した「平和は『心の平和』から生まれる」というのは、いわばミクロな視点です。一人一人が日常生活の中で心がけられることですから。それに対して、マクロな視点で、システムとして平和を考えるのが平和学です。

長沼　僕がいる広島大学には、アフガニスタンやシリアからの難民の学生がいっぱいいますね。

茂木　創価大学にもシリア難民の学生がいるらしいですね。

長沼　あと、広島大学にはヨーロッパの白人の学生もいる。彼らにとっての平和って、別に高い理想じゃないんですよ。非常にシンプルで「戦争がない状態」だって言ってるんです。戦争がない状態が平和であるならば、戦争が起きないように頑張る。これが一番の平和活動だと僕は思っています。今回のウクライナ侵攻も、プーチン大統領が侵攻を決断する前にどうしていればやめられたのか。今後のために、そこを振り返ってきっちり検証しておくことが必要です。

茂木　広島大学がめざす平和って何でしょう。

長沼　うちの場合は核廃絶でしょうね。もちろん大事なことだけど、同時に高い理想に向かう極めて難しいことでもあります。だからこそ、僕は現実に戦争が起きそうなところがあるのなら、起こさないようにすることがまずは大事だと思っている。

茂木　核兵器が登場する前と後って、全然違いますよね。核戦争というのは、一度起きてしまえば、もはや取り返しがつかない。かつて第一次世界大戦でヨーロッパは大きな代償を払っています。毒ガス兵器が使われたりして、多くの人が亡くなった。第二次世界大戦では、人類は大規模な空爆や、最終的には原子爆弾まで経験しました。そこで、核兵器は取り返しがつかないものだって学んだはずなんだけど、うまく対応できていないと思うんです。

それまでは戦争を外交の手段の一部と見なす伝統的な考え方がありましたよね。核兵器登場以降は、そうではなく存在論的というか、人類の存否がかかる状況になってしまっている。でも、戦争に対するわれわれのイメージが更新されていない。もはや戦争は外交オプションじゃないのに、そのあたりが整理できていない気がします。

長沼　ウクライナでは今のところ核兵器は使われていませんけど、それでもすでに大勢の命が奪われています。見ていると、ロシア側もNATO側も、なんとなく兵器の在庫整理をやっているような気もする。NATOが供給している兵器なんか、もうそろそろ捨てようと思っていた数十年前のものとか含まれているわけです。もちろん第一義的には侵攻したロシアが悪いんですが、もう少し時間が経ったときには、いろいろな〝悪〟

が見えてきそうな気がします。

最新のドローン兵器なんかはウクライナ兵が操縦できないから、アメリカにいるオペレーターが衛星中継しながら代わりに操縦するとか、そうした話も聞きます。安全な場所から、モニター越しにコーヒーを飲みながらドローンを操縦して人を殺傷できてしまう。とても残忍な発想ですよね。そういうことが現実にあり得る時代になってるんです。茂木さんが言った「心の平和」の対極にあるものですよ。

アインシュタインの後悔

茂木 アインシュタインは、原爆開発を大統領に勧める手紙を書いてしまって、それをずっと後悔していたんです。彼はどんな気持ちだったのかなって、いつも思うんですよ。

そもそも原子爆弾の理論的基礎になった「$E=mc^2$（質量とエネルギーの等価性）」というのは、アインシュタインが発見したわけです。ユダヤ人だった彼はナチスに迫害されていて、そのナチスが核兵器を開発する恐れがあった。だから、アインシュタインはアメリカが先に核兵器を開発することが大事だと思っていた。七月に原爆の実験をやって、八月六日にはもう広島に落としている。ものすごく急いでマンハッタン計画は実行されました。

やはり科学者の良心って、とても大切です。僕がやっている意識の研究も、僕は純粋に科学的な興味でやっているけれど、もし意識が解明されたら悪用される可能性だってある。「人工意識」が兵器に使われる可能性だってないわけじゃない。あと、「洗脳」ですね。英語でも「brainwashing」と言いますが、脳科学などは洗脳にも使えるでしょう。生物学だってそうですよね。いろいろ悪用しようと思えば悪用できるということ。アインシュタインのような平和主義者でさえ、自分の発見を悪用されたわけですから。

長沼　前にも話しましたが、オキシトシンってありますよね。「愛のホルモン」とか「幸せホルモン」とかって呼ばれているものです。あれは実際に協調性を高める方向に働くんです。もちろん個々人の生物学的な起因もあるんだけど、協調性を高めて人と人とが信頼し合う。でも、それを悪用できるんですよね。何かの相談をするときにオキシトシンのパフュームを噴霧して雰囲気をよくしてしまうとか。Amazon で売っていますよ。

茂木 ありますね。

長沼 それが本当に功を奏するかどうかは別だけどね。でも功を奏したら怖いじゃないですか。オキシトシンは一九五〇年代に合成されています。だから作るのは簡単なんですよ。本来は人間の幸せに資する研究だったのが、人をたぶらかす方向に使われる可能性がある。そういう可能性は、何においてもありますね。

茂木 アインシュタインは平和主義者でした。彼は「軍隊が行進しているだけでも、私は軽蔑する」と言っていたような人なんです。普通、軍隊は国を守るものだと認識されているけど、彼はその軍隊自体を否定していた。それくらいアナーキーなんです。その彼が「$E=mc^2$」を書いてしまって、大統領に原爆開発を決断させる手紙を書いてしまった。ものすごいジレンマですよね。

一九五七年にできたパグウォッシュ会議というのがあります。すべての核兵器と戦争の廃絶を訴える国際的な科学者の連帯です。ものすごくアクティブな団体で、今でもあるんだけど、なぜか影響力が衰退した。これは大問題で、それは個々の科学者の影響力が小さくなったからなのか、世の中が変わったからなのか。長沼さん的にはどう思いますか？

長沼　ちょっと前だったらスティーブ・ジョブズのほうが影響力はあっただろうし、今だったらイーロン・マスクのような科学とエンジニアリングの申し子みたいな人のほうが影響力ありますよね。そういう意味では、科学者は後れを取っていますね。

茂木　科学者の影響力が低下したのは間違いないよね。

長沼　科学者がというより、一般的に学者がそうなっているでしょうね。

茂木　これはなぜなのか。戦後の日本で言うと、湯川秀樹がそういうポジションで、彼が平和を語るとすごく影響力があった。今はそういう科学者が見あたらない。どうしてこうなっちゃったんだろう。

長沼　インターネットの世界で目立つ人の発信力が大きいからじゃない？

茂木　でも、ウクライナ侵攻では今まで世間からまったく関心を持たれていなかったロシアの専門家とか、そういう専門知の大切さというのが見直されましたよね。コロナの専門家会議は、感染者数予測とかを外して功罪はいろいろあると思うけど、やっぱり専門知というのは大事なんだと国民は思ったはずです。

動物にも邪悪な「殺意」はあるか

長沼 ウクライナ侵攻は、われわれの先祖が起こしたパールハーバー（真珠湾攻撃）とはずいぶん様相が違いますよね。侵攻する前から、ロシア軍がどう展開しているかとかの情報が衛星で捉えられていて、ネットに出回っていましたし。そういう意味では、戦争の始まり方もやり方も変わりました。

僕の今の問題意識は、どうやったらロシアが戦争をやめてくれるだろうかということですね。もちろん、戦術核を使うことなくです。そこがわからないし、みんなで知恵を出し合うべきなんだと思います。

茂木 そうですね。僕はやっぱり「心の平和」がこの本で出したいメッセージですね。「心の平和」からしか実際の平和はできない。一人一人の心の平和の大事さは、いくら強調してもし過ぎることはないと思う。

ちょっと教えてほしいんですけど、動物にも残虐性はありますか？　自分の生存のために他の動物を殺して食べるとかじゃなくて、徹底的に他の生物を殲滅《せんめつ》するとか、殺すこと自体をおもしろがるとか。

長沼　イルカはやりますね。あと、チンパンジーも。イルカの場合は、何分かに一回は海面に上がって息をしないと死んじゃいますよね。なのに、ある一頭に狙いをつけて、他のみんなでそいつの上に乗っかるんです。何分くらい生きられるんだろう、苦しくなったらどうなるんだろうって見るんですよ。知能が歪《ゆが》んだ形であらわれて、変な好奇心が出て、それで殺しちゃうということがある。イルカはそういうことをやります。

茂木　人間以外の動物にも「殺意」ってあるんですね。

長沼　あるでしょうね。チンパンジーにも残酷な面があって、自分の群れとは違うオスを見つけたりすると、襲って殺害しようとすることがある。でも、チンパンジーの近縁にあたるボノボという種は、そういうことはやらない。ボノボとチンパンジーと人間、この三つの種類の生きものの比較はすごく意味があると思います。われわれとチンパンジーの系統が分かれたのは二百万年くらい前です。アフリカにコンゴ川という川があって、昔はザイール川と呼んでたんですけど、川幅も広くて、その川の対岸にチンパンジーとボノボは分かれていて交流がほとんどないんです。われわれとチンパンジーの系統が分かれた後、コンゴ川を境にして、どこかのタイミングで分離したんでしょうね。

茂木　それはおもしろいね。

長沼　チンパンジーの残虐性には、自分の遺伝子を残したいということがあるのかもしれない。実際、群れのボスが交代したら、前のボスがメス猿に産ませていた子どもを全部殺すということがありますから。そして、自分が新しい子どもをメス猿に産ませようとする。ところが、そこはメス猿もちゃっかりしていて、じつは生まれてきた子どもの遺伝子を調べると半分くらいは違う父親の遺伝子なんですよ。つまり、ボス猿の目を盗んで他のオス猿と交尾をしているんです。こうしたことが、チンパンジー社会ではあります。だから、ボス猿が仕切っているといっても、とりあえず〝体《てい》として〟仕切っている、ということでしょうね。チンパンジー社会は、「遺伝子半分」「虚構半分」ということなのかもしれないですね。

茂木　魚は自分の子どもでも食べちゃったりするよね。

長沼　基本的に、口に入るものは何でも食べちゃいますからね。共食いも多い。さっき自分が精液をかけた卵がふわーって浮遊してても、それが口に入れば食べちゃうし、せっかく卵からかえった稚魚も食べちゃう。

チンパンジーは、もっと人間に近いかたちで残虐な行動をしますね。無益な殺しをやる。ちょっと知能があると、そうしたことをやるんですね。ただ人間の場合は、これはスティーブン・ピンカーというアメリカ人が書いていますが、人間の歴史を通して暴力的な部分は減ってきていると言うんです。僕もそう思います。とくにダーウィンが出たあとくらいから、この二百年は、人間ってかなりよくなったんじゃないかと思いますよ。だからウクライナ侵攻とか見ていると、すごく違和感を覚えるんでしょうね。でも二百年前だったらそんなに違和感なかったかもしれない。この二百年ほどで、一部の人間たちはものすごく良心が発達した。これは事実だと思う。

「人種」というものはない

茂木　ロンドンブーツ（1号2号）の田村淳《あつし》さんが言っていましたが、ツイッターとかでいきなり他人に誹謗中傷《ひぼうちゅうしょう》を投げかけてくる人って、ウクライナに軍事侵攻したロシアと同じですよね。僕のところにも、そういう誹謗中傷ってよく来る。戦争とSNSの誹謗中傷とレベルが違うって思われるかもしれないけれど、そういう小さな暴力もわれわれは見逃してはいけないと思う。「バタフライ効果」じゃないけど、そういう些細《ささい》に見える暴力を見逃していると、巡り巡って今回のような軍事侵攻につながるような気が僕はするんですよ。

長沼さんの言うとおり、動物界は殺戮《さつりく》に満ちていて、オーバーラップゾーン（同種の異なるグループで活動領域が重なるところ）があると衝突が起こりやすくなるわけですね。でも人間には理性があって、殺意を覚えるような場面があっても、理性によってそれを抑える術《すべ》を持っています。それが他の動物とは違うところでしょう。

ヘンリ・タジフェルというユダヤ人の心理学者が「ミニマム・グループ・パラダイム」ということを言っています。彼は第二次世界大戦中にフランスにいたんだけど、家族や親友をユダヤ人というだけでみんな殺されてしまった。彼が言っているのは、たとえば教室で「パウル・クレーの絵とカンディンスキーの絵とどっちが好き?」と学生に聞き、その結果をもとに二つのグループに分ける。クレーとカンディンスキーはどちらも抽象画家です。すると、絵の好みといった些細な差で分けたグループであっても、人間は自分のグループに帰属意識を持ち、自グループをひいきする傾向を示すのです。そこから仲違《なかたが》いが始まる。戦争の要因として宗教の違いなんかが根深い差異だと思われがちだけど、それはクレーとカンディンスキーのどっちが好きかというミニマムなグループ分けとじつは何ら変わりはない。そういうことを科学者が示していくことに意味があると思うし、科学者の果たせる使命があると思うんですよね。

長沼 そのミニマム・グループの話で言うと、生物学者が世界中の人間のゲノムを調べて、結論が出ていることがあります。それは、重要な部分においては人種によるゲノムの差異はないということです。だから、人種という概念が生物学者にはありません。持

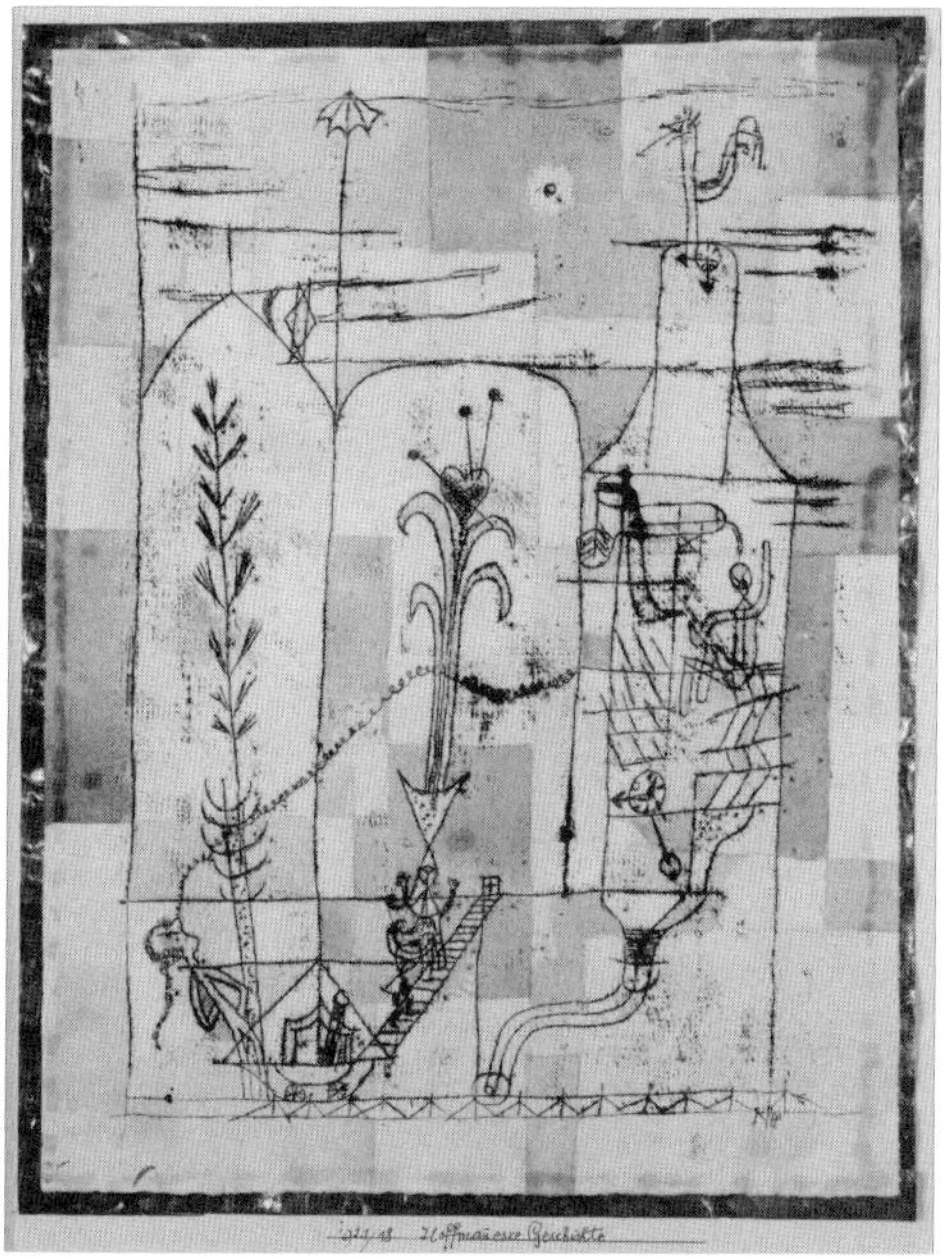

パウル・クレーの作品（上）と、カンディンスキーの作品
（メトロポリタン美術館所蔵）

っちゃいけないんです。もちろん、肌の色とかを決める遺伝子はあるし、同じ集団で住んでいれば「語族」という同じ言語のグループは出てきます。語族や肌の色の集団はできてくるけど、ゲノムのレベルで言うと、「ホモ・サピエンス」という一種しかないんです。これは生物学者が金科玉条《きんかぎょくじょう》として持っているものです。

もっとも、それを意図的に越えて、あえて「この部分の遺伝子は違うじゃないか」と言ってくる人もいるんだけど、ちょっとそれはお話にならない。学問的には人間は本当に同じです。これに従っていけば、多少の違いは人為的なものであって、そこをことさら大きくするのは「反科学」ですよね。茂木さんもここは同意だと思う。

生きものはみんな頑張っている

茂木 うん、同じです。やっぱり真実を知ると人は平和に導かれていくっていうことを、僕は信じたいですね。今の人種の話もそうですし、科学者は真実を明らかにするのが仕事だから、科学者の営みは、やがて平和につながっていくと僕は思いたい。アインシュタインは物理の専門家ではあったけど、人間の真理や政治、社会の専門家ではなかった。だから、社会学や政治学におけるアインシュタインが生まれていけば、いつか平和を実現できるかもしれないね。社会学や政治学における相対性理論を作る人が現れることを僕は信じたいです。

先日、吉本興業百十周年でのダウンタウンの漫才を見て素晴らしいなと思ってほめたんです。でも僕は以前に「日本のお笑いはオワコンだ」と言ったし、松本人志さんを含めた芸人たちのお笑いを批判したこともありました。でも、フェアでありたいと思うから、いいと思ったものは評価する。それがある種の「平和」の態度だと思うからです。一度ケンカした人とはずっと仲違いし続けるというのも変な話だしね。「日本のお笑いはオワコンだ」と言いつつ、ダウンタウンの百十周年のときの漫才は素晴らしかったと言うのは矛盾しているようだけど、首尾一貫している必要なんかないと思う。

長沼　近視眼的に見ると矛盾だけど、最後の最後の答え合わせの時に、「終わりよければすべてよし」となるものだと思います。

茂木　生物ってそうだよね。

長沼　うん。長い目で見てよりよい方向にもっていくのが、知性の役割じゃないですかね。茂木さんがそうであるように。

茂木　生命原理って矛盾に満ちているというか、無茶苦茶だよね。

長沼　ダーウィンの進化論で誤解されているのは、「変化に適応した生きものが成功した」というのが進化論と思われているけど、それは別の人が言ったことなんです。ダーウィン進化論を同じような言葉で表現するなら、「成功したのは運がよかった生きもの」なんです。生きものってみんな、成功しようと頑張っているんですよ。失敗しないように頑張っているんだけど、結果的に成功したものがいる。そうした中で、僕たちも悪くならないように、よくなる努力を絶え間なくしている。僕はそれでいいと思います。

茂木　たとえば酸素だって最初は生命にとって毒だったけど、今は呼吸に使っているしね。あとは、「過度にあるとよくない」という話もありますね。記憶力だって、あればあるほどいいと思われそうだけど、そうじゃない。ルティアっていう人が研究したんだけど、記憶力が過度にある人は創造性がなくなるし、忘れられないということは大きなストレスになる。ほどほどの記憶力がいいようです。生物ってほどほどがいいんですよね。ほどほどって「矛盾してる」ってことだからね。

長沼　ヘラジカという大きな角を持った動物がいるでしょう。あれと似た種で、絶滅種なんですが、角が幅三メートルくらいまでなるようなものもいたんです。角が大きいほうがメスにモテるといわれていて、いわゆる性選択で、大きいほうにどんどん進化するわけです。でもそうなると摂取した栄養素の大半が角のほうに回っちゃって、体に行かなくなる。あとは角が大きくなりすぎて、森の中で動けなくなっちゃうとかね。そんなことで「進化の袋小路」にはまって滅んだんじゃないかというんです。ちなみに、その種は三百万年くらい生きてたんですよ。ホモ・サピエンスよりよっぽど長生きしている。

茂木　やっぱり「ほどほど」でないと滅びるんだね。それって「中庸《ちゅうよう》」にも通じることかもしれない。今は極端な意見に引きずられる人が多い気がするけど、人間の社会や暮らしって、思い描いたようにはいかないですよね。社会や政治も、そういう人間のありように即していかないと機能しないし、宗教とかも極端なことを主張すると人間を不幸にする。さっき長沼さんが言ったように、「長い目で見て、いい方向にもっていく」というのは、あらゆることにおいて大事ですね。

長沼　そういう意味でも、これからは最先端の知に耐えられる宗教、人間を極端に走らせない宗教が必要だし、そういう宗教と科学が手を携えて、人間の幸福にとって〝よりよい虚構〟を作っていってほしいと思っているんですよ。

茂木　そのとおりですね。この長沼さんとの対談って、始めるときはどういう話になるんだろうって当然ながら予測不能だったわけだけど、なんかとてもいい対談になったよ。ありがとうございました。

長沼　こちらこそ、ありがとうございました。

あとがき

この本を手にとられた方は『科学と宗教の未来』というタイトルから、どういう内容を想像されたでしょうか。この本の中でも触れていますが、そもそも科学（近代科学）と宗教は相性がよくありません。欧米や日本の科学界では、理神論（一二六ページ）で宗教に寄り添う人もいますが、むしろ無神論を振り回す人のほうが多いのではないでしょうか。

しかし、僕が訪れたことがあるイスラム教国の科学者の中には、科学とイスラム教のより良い関係を構築しようと努力している人もいます。たとえば、科学との折り合いをつけるようにコーラン（イスラム教の聖典）を解釈すること、すなわちエクセジーシスexegesis（聖典解釈）を通して科学と宗教の併存をめざすような動きがあります。ただ、科学的な発見や法則が実はコーランの中に記されているという指摘や解釈を超える必要もあるでしょう。なぜなら、僕が思うに「科学の理論を疑ってかかる態度こそが科学的」「理詰めでものを考えることが科学的」だからです（三一ページ）。

科学とキリスト教については、フランスのカトリック司祭にして古生物学者（したがって進化論者）のピエール・テイヤール・ド・シャルダン（Pierre Teilhard de Chardin, 1881〜1955）を取り上げたいと思います。テイヤールは知性圏あるいは意識圏（ノウアスフィア）というものを考えました。地球は生命のない地質圏（ジオスフィア）として誕生しましたが、やがて生物が存在する領域である生物圏（バイオスフィア）が現れ、ついには人間という知的生物の知性・意識が及ぶ領域、すなわち知性圏・意識圏が広がってきました。テイヤールの考えでは、人間の知性・意識はさらに進化し、いつかは知性・意識の最高到達点である「オメガ・ポイント」に至るそうです。ここでいうオメガとは、すべての者が神と霊的な合一を遂げる終末を指すとのこと。テイヤールのオメガ・ポイントは、科学者である僕には人間以上のＡＩ（人工知能）が誕生する技術的特異点（シンギュラリティ）や、科学技術で人間を改造する超人間主義（トランスヒューマニズム）のことを思わせます。

そんなＡＩや超人間が有する知性は、どんなものであってほしいでしょうか。この本の中で「長い目で見てよりよい方向にもっていくのが、知性の役割」と言いましたが

（二〇四ページ）、人間をよりよい方向、できれば平和の方向に連れていってくれる知性であってほしいと思います。そして、まさにこの点において科学と宗教は手に手をとって連携できると考えています。

この「あとがき」の最初のほうで「科学（近代科学）と宗教は相性がよくない」といいました。でも、科学と宗教の相性は「平和」という触媒によって改善されると思います。ここではいったん平和とは「戦争がない状態」（一八九ページ）としておきましょう。でも人間はこれまで何度も戦争や紛争を起こしてきましたし、今も起きています。これはもう人間という生物種すなわちホモ・サピエンスの性《さが》や業《ごう》といってよいでしょう。つまり、人間のゲノム（遺伝子の総体）と脳の中に戦争の原因があるはずです。ならば、ゲノム科学と脳科学で人間の好戦性や攻撃性を丸裸にすることもできるはず。ただし、好戦性や攻撃性のもとになる遺伝子や脳の領域を特定できたとしても、現在の科学では手がつけられない部分があります。それは「心」の問題です。

「心って何ですか」って聞かれたら……電気や化学物質の総体で生じる作用が「心」

なんですね。残念ながら生物学者はそこまでしか言えないです。それ以外のことはまったくわからない。（一一八ページ）

そのまったくわからない「心」を取り上げて、茂木さんは「平和は『心の平和』から始まる」と言いました（一七二ページ）。言わんとすることはなんとなくわかるのですが、そもそも現在の科学では「心」のことがよくわからないので、どうしたら科学的に「心の平和」を得られるのかもわかりません。ところが、宗教、特に仏教からだと「心」の問題にアプローチしやすいと思います。

心の内側を見つめる方法って、まだ科学にはあまりないんです。脳を調べるには「ファンクショナルＭＲＩ（磁気共鳴機能画像法）」という方法があるんですけれども、それを見たところで「心の動き」をつかめたとは言い切れません。その点で仏教には長い間で培《つちか》ってきた智慧《ちえ》がある。（一五九ページ）

じゃあ「仏教」は何かというと、シンボルというか、神聖なものを外側に置かない。基本的には自分の内部に置くんですよね。神聖なものを人間の心の本性に見る。（一三四ページ）

類人猿の中で普遍的にみられる「思いやり」の話を、もっと追求しようという姿勢が、仏教にはある。したがって、そこには普遍性があるんです。……仏教は人間の普遍的な部分に基づいているし、根ざしている。そういう意味ではこんなに普遍的な宗教はないと思っています。（一三五ページ）

もし平和とは「戦争がない状態」であるならば、「心の平和」は「心の戦争がない状態」になります。この逆のことを茂木さんは「心の不平和」（一七五ページ）と言ってますが、それは「心の中に「戦争」という考えがある状態」ですね。戦争は外交の延長であるという人もいるくらいなので、為政者なら心の中に戦争のオプションを持っていても当然だと思います。それでも、隣国を侵攻するより侵攻しないほうがマシだと思ってもらえるように、できることはあるでしょうか。二十一世紀の為政者たるものは自分のゲノムと脳を調べて自分の心の傾向性を把握《はあく》し、仏教の観念観法で自分自身の心の状態を観心する。そんなことを「科学と宗教の未来」に期待します。が、そんな、為政者の首に鈴をつけるようなこと、いったい誰にできるでしょうか。民主的な選挙で為政者を選べる国、たとえば日本なら、それはもちろん国民、つまり僕たち一人一人ということになりますが。

この対談の中で言い忘れたことを一つ。仏教の始まりは紀元前五世紀とされていますが、その淵源はさらに古く、古代インドのヴェーダ時代（紀元前十数世紀〜紀元前六世紀）に遡《さかのぼ》るそうです。そのヴェーダ時代に端を発した宗教（仏教、ヒンドゥー教、ジャイナ教）の教義の一つに「アヒンサー（ahiṃsā）」があります。アヒンサーとは「非暴力」のこと、つまり、非戦争であり、平和のことです。インド独立運動の父マハトマ・ガンディー（一八六九〜一九四八）やアメリカ公民運動の指導者キング牧師（一九二九〜六八）に大きな影響を与えた思想です。アヒンサーの起源は、古代インドのヴェーダ時代よりもっと古いかもしれません。今から五千年以上前（紀元前五十数世紀）に興《おこ》ったインダス文明の遺跡・

遺物には戦争の痕跡がないそうで、もしかしたら、この頃すでに非戦の思想が芽生えていて、非戦（すなわち平和）を実現した文明が存立していたのかもしれません。インダス文明にも文字はあるのですが、残念ながらまだ解読されていません。でも、もしインダス文明の文字が読めるようになったら、アヒンサーの起源について、そして、アヒンサーを実現した社会について、重要な知見が得られることでしょう。

アヒンサーの思想は仏教にも受け継がれています。仏教における五戒の一つ「不殺生《ふせっしょう》戒《かい》」がその一例でしょう。しかし、二十一世紀の仏教が「人間を極端に走らせない宗教」（二〇六ページ）として世界の平和に貢献すべきなら、やはり「アヒンサー」という原点に帰り、非暴力と非戦争を訴えるべきでしょう。しかも、より多くの人々の心により深く刺さるよう有効的に訴える方法を「人間の科学」であるゲノム科学・脳科学を駆使して開発すべきです。平和は向こうからやって来るものではありません。僕たちが平和を手繰《たぐ》り寄せるのです。そのために科学と宗教が手に手を取り合うこと、それはけっして「嗜《たしな》み」で済ませてよいのではなく、むしろ「務め」であると僕は信じます。

最後になりましたが、発散しがちな僕の発言をしっかり捕まえてくれて「対談」を成功に導いてくださった対談相手の茂木健一郎さんに心からの「ありがとう」を申し上げます。また、対談の流れを絶妙にナビゲートしてくださったBUNBOUの東晋平さんにも心より感謝いたします。そして、このテーマ（科学と宗教の未来）を企画し、この本を精力的に編集してくださった第三文明社の書籍編集部の皆様、本当にありがとうございました。最後の最後、誰よりも、この本を手に取って読んでくださった方には深謝・多謝などの言葉では言い表せないほどの御礼を申し上げたいと思います。その上で、もしできましたら、僕たちと一緒に「二十一世紀の平和のメッセンジャー」になっていただけますよう、どうぞよろしくお願いいたします。

二〇二二年十一月二十一日

長沼 毅

茂木健一郎（もぎ・けんいちろう）

一九六二年、東京都生まれ。東京大学大学院理学系研究科物理学専攻課程修了。理学博士。理化学研究所などを経て、現在、ソニーコンピュータサイエンス研究所シニアリサーチャー。専門は脳科学、認知科学。「クオリア」をキーワードに脳と心の関係を研究するとともに、文芸評論、美術評論にも取り組んでいる。『脳と仮想』（新潮社）で第四回小林秀雄賞、『今、ここからすべての場所へ』（筑摩書房）で第十二回桑原武夫学芸賞を受賞。『クオリアと人工意識』（講談社現代新書）、『脳を活かす勉強法』（PHP文庫）など、著書多数。

長沼 毅（ながぬま・たけし）

一九六一年、三重県生まれ。筑波大学大学院生物科学研究科博士課程修了。理学博士。海洋科学技術センター、カリフォルニア大学サンタバーバラ校海洋科学研究所客員研究員などを経て、広島大学大学院統合生命科学研究科教授。専門は極限環境の生物学、生物海洋学。北極、南極、深海、砂漠など世界の辺境に極限生物を探し、地球外生命を追究しつづけている。主な著書に『世界をやりなおしても生命は生まれるか？』（朝日出版社）、『考えすぎる脳、楽をしたい遺伝子』（クロスメディア・パブリッシング）、『ゼロからはじめる生命のトリセツ』（角川文庫）などがある。

デ ザ イ ン　小林正人（OICHOC）
写 真 撮 影　稲治毅
編 集 協 力　BUNBOU 株式会社

科学《かがく》と宗教《しゅうきょう》の未来《みらい》

2023 年 1 月 31 日　初版第 1 刷発行

著　　者　茂木健一郎《もぎけんいちろう》　長沼 毅《ながぬまたけし》
発 行 者　大島光明
発 行 所　株式会社　第三文明社
東京都新宿区新宿 1-23-5　〒 160-0022
電話番号　03（5269）7144　（営業代表）
03（5269）7145　（注文専用）
03（5269）7154　（編集代表）
振替口座　00150-3-117823
URL　https://www.daisanbunmei.co.jp/
印刷・製本　図書印刷株式会社

ISBN 978-4-476-03412-7